Paola Peretti

Du haut de mon cerisier

Traduit de l'italien
par Diane Ménard

Illustré par Carolina Rabei

GALLIMARD JEUNESSE

Titre original : *La distanza tra me e il ciliegio*

Édition originale italienne, *La distanza tra me e il ciliegio*,
publiée en 2018 par Rizzoli Libri, Milan.

Première édition en anglais, *The Distance Between Me and the Cherry Tree*,
publiée en 2018 par Hot Key Books,
une marque de Bonnier Zaffre Limited, Londres.

À Anna et Mario,
incroyables conteurs, lecteurs, cuisiniers, coiffeurs,
chauffeurs, stylistes, enseignants, psychologues,
comiques, éducateurs, amis, grands-parents.
Autrement dit, à papa et maman.
Vous avez tellement fait, et vous l'avez bien fait.
Dites-le aux enfants que vous étiez, s'il vous plaît.

Première partie

Soixante-dix mètres

1
Le noir

Tous les enfants ont peur du noir.

Le noir, c'est une pièce sans porte ni fenêtres, avec des monstres qui t'attrapent et te mangent en silence.

Moi, je n'ai peur que de mon noir à moi, celui que j'ai dans les yeux.

Je ne l'invente pas. Si je l'inventais, maman ne m'achèterait pas des gâteaux en forme de pêche à la crème et à la liqueur, et elle ne me permettrait pas de les manger avant le dîner. Si tout allait bien, papa ne se cacherait pas dans la salle de bains comme il le fait quand il parle à la propriétaire de l'appartement, qui appelle toujours pour donner de mauvaises nouvelles.

– Ne t'inquiète pas, me dit maman en lavant la vaisselle du dîner. Va jouer dans ta chambre et ne pense à rien.

Je reste un moment près de la porte de la cuisine en essayant de l'obliger à se tourner vers moi par la force de ma pensée, mais ça ne marche jamais. Alors maintenant, je suis là, dans ma chambre, et je caresse Ottimo Turcaret, mon chat gris et marron avec un nœud au bout de la queue. Lui, il s'en fiche que je le soulève, que je le renverse sur le tapis ou que je le poursuive avec la balayette des toilettes. « C'est un chat, s'amuse papa, et les chats sont opportunistes. » Ça veut peut-être dire qu'il aime qu'on s'occupe de lui. En tout cas, ce qui compte pour moi, c'est qu'il soit disponible quand j'ai un problème, quand je sens le besoin de serrer quelque chose de chaud et de doux dans mes bras. Comme maintenant.

Je sais bien qu'il y a quelque chose qui ne va pas. Je ne suis peut-être qu'en CM1, mais je capte tout. La fiancée de mon cousin dit que j'ai le troisième œil. Elle est indienne et a un petit rond peint au milieu du front. Ça me fait plaisir qu'elle pense ça, mais je me contenterais d'avoir deux yeux en bon état.

De temps en temps, comme maintenant, j'ai envie de pleurer. Et mes lunettes se couvrent de buée. Alors je les enlève, comme ça au moins elles sèchent, et je n'ai plus la marque rouge qu'elles laissent sur mon nez. Je les porte depuis le CP. Celles-là, jaunes avec de petites pierres brillantes, on les a achetées en décembre de l'année dernière et elles me plaisent vraiment. Je les remets devant le miroir.

Sans mes lunettes, je vois tout à travers un

brouillard, comme quand je prends ma douche et qu'il y a beaucoup d'eau chaude. Mon brouillard à moi s'appelle le brouillard Stargardt, en tout cas, c'est ce que mes parents m'ont dit. Ils ont dû l'entendre à l'hôpital. Sur le smartphone de papa, on peut lire que M. Stargardt était un ophtalmologiste allemand qui a vécu il y a cent ans : c'est lui qui a découvert ce qui se passe dans mes yeux. Il avait aussi compris que, quand on a ce brouillard, on commence à voir des taches noires devant les choses et les personnes. Ces taches grandissent, elles deviennent géantes, et il faut s'approcher de plus en plus des choses pour mieux les voir. Internet dit : «La maladie touche environ une personne sur dix mille.» D'après maman, les personnes spéciales, c'est Dieu qui les a choisies, mais je ne trouve pas que ce soit vraiment une chance, quand j'y pense.

2

Choses auxquelles
je tiens énormément
(que je ne pourrai plus faire)

Je me vois dans la glace à une distance de trois pas.
Mais ma distance diminue : l'année dernière, je me
voyais à cinq pas. Je caresse la tête d'Ottimo Turcaret devant le miroir et j'en profite pour me coiffer,
pendant que j'y suis. En ce moment, maman aime
bien me faire des couettes, et il faut l'entendre quand
je les défais ! Ça lui plaît tellement qu'elle me les
laisse même pour dormir. Papa passe la tête dans ma
chambre, il me dit de m'*empyjamer* et de me laver
les dents. Je réponds oui mais, comme d'habitude,
je me mets à la fenêtre pendant un bon bout de
temps avant d'obéir. De la fenêtre de ma chambre,
on voit un grand morceau de ciel noir. J'aime rester
là, les soirs d'automne comme aujourd'hui, à regarder

dehors, parce qu'il ne fait pas froid, qu'on voit la lune et l'étoile Polaire qui luisent fort. Maman dit que toutes les deux, elles sont la lanterne et l'allumette de Jésus. Moi, ce qui m'intéresse surtout, c'est de vérifier qu'elles sont toujours là, chaque soir.

Avant de dormir, papa vient me lire une histoire. En ce moment, nous sommes au milieu de *Robin des Bois*, qui me fait faire des rêves pleins de flèches et de forêts. Ensuite, d'habitude, c'est maman qui arrive, elle arrange mes couettes sur l'oreiller autour de mon visage et me souhaite bonne nuit, avec son haleine qui sent le sorbet à la menthe.

Mais ce soir, ils entrent tous les deux en même temps et ils s'asseyent sur mon lit, chacun d'un côté. Ils me disent qu'ils se sont aperçus que je voyais un peu moins bien et qu'ils ont décidé de me faire passer des visites médicales très spéciales, la semaine prochaine. Je n'aime pas rater l'école, parce que je perds des informations importantes (combien de temps il a fallu pour construire les pyramides ?) et des bavardages (c'est vrai que Clara et Gianluca de l'autre CM1 se sont remis ensemble ?). Devant mes parents, cependant, je ne dis rien. J'attends qu'ils sortent de ma chambre, qu'ils éteignent la grande lumière, puis j'allume la lampe posée sur ma table de nuit, je passe les doigts sur le bord des livres qui sont sur l'étagère au-dessus de mon lit. Je prends le cahier au coin écrasé.

Je le pose sur mon oreiller. Sur la couverture, il y a une étiquette : LA LISTE DE MAFALDA.

Ce cahier est mon petit agenda personnel. Sur la première page, on peut lire une date :

14 septembre

C'était il y a trois ans et onze jours. En dessous, il est écrit :

Choses auxquelles je tiens énormément
(que je ne pourrai plus faire)

La liste n'est pas très longue. En fait, il n'y a que trois pages et, au début de la première, on peut lire :

Compter les étoiles la nuit
~~Piloter un sous-marin~~
Faire des signaux avec une lumière pour dire bonne nuit à la fenêtre

Alerte rouge. Lunettes embuées.

Ma grand-mère habitait juste en face de chez nous, dans la maison rouge avec les rideaux en dentelle où il y a maintenant un couple qui ne dit jamais bonjour et qui a même changé de rideaux. Grand-mère était la maman de papa, elle avait des boucles comme lui et comme moi, sauf qu'elles étaient blanches, et elle me faisait toujours des signaux avec sa lampe de poche avant d'aller se coucher. Un petit coup de lumière voulait dire : « Je t'appelle. » Deux petits coups :

«Bonne nuit.» Trois petits coups : «À toi aussi.»
Mais c'était avant, quand je me voyais dans la glace
à neuf pas de distance.

La deuxième page, je ne la montre à personne,
même pas à Ottimo Turcaret, parce qu'elle est vraiment, vraiment très secrète, et d'ailleurs je l'ai écrite
en code.

Sur la troisième page, il est écrit :

Jouer au foot avec les garçons
Inventer des parcours sur le trottoir : si tu tombes, tu
te retrouves dans la lave et tu meurs
Faire un concours de boulettes de papier à envoyer dans
la corbeille
Grimper au cerisier de l'école

Moi, je suis montée très souvent à ce cerisier de
l'école, depuis le premier jour où je suis arrivée en pri-
maire. C'est mon arbre. Aucun autre enfant n'arrive
à grimper aussi haut que moi. Quand j'étais petite, je
caressais le tronc, je l'embrassais… c'était mon ami.

C'est sur le cerisier de l'école que j'ai trouvé Ottimo
Turcaret. il était tout effrayé, gris et marron comme
maintenant, mais plus laid. Il était minuscule, et j'ai
réussi à le ramener à la maison dans la poche de mon
tablier. C'est seulement quand je l'ai posé sur la table
de la cuisine que mes parents se sont aperçus que
c'était un chaton. Il ne s'appelait pas encore Ottimo
Turcaret, il n'avait pas de nom ; mais après quelques

jours où il habitait chez nous et où il avait commencé à me suivre partout, même à l'école, papa m'a offert son livre préféré, *Le Baron perché* d'Italo Calvino. Il me le lisait le soir, avant que je m'endorme. C'est comme ça que j'ai fait la connaissance de Cosimo, un garçon un peu plus âgé que moi, qui vivait à une époque pleine de gens à perruques qui voulaient le forcer à faire des devoirs très ennuyeux et à manger des plats dégoûtants. Il avait un basset, qui portait deux noms : Ottimo Massimo, quand il était avec Cosimo, et Turcaret quand il était avec sa vraie maîtresse, Viola. On a donc décidé que notre chaton avait vraiment une tête à s'appeler Ottimo Turcaret, même s'il n'avait pas deux maîtres, comme le basset du livre.

Dans *Le Baron perché*, mon personnage préféré est Cosimo : j'aime tellement qu'il aille vivre dans les arbres et qu'il n'en descende plus, parce qu'il veut être libre. Moi, je n'aurai jamais ce courage. Un jour, j'ai essayé de me construire une cabane entre les branches du cerisier avec du papier toilette, mais il s'est mis à pleuvoir et les murs se sont défaits. Ce que je préférais, c'était emporter une BD et la lire là-haut, sur une branche fourchue. Je voyais encore assez bien, à ce moment-là.

Depuis le CP, tous les ans, je passe des examens des yeux avec des gouttes qui brûlent. Mes docteurs appellent ça « la routine ». Les visites très spéciales de la semaine prochaine doivent être un peu différentes, parce que la petite flamme, celle que j'ai dans les yeux, s'éteint très vite. Très, très, très vite. C'est l'ophtalmo qui me l'a expliqué. Elle n'est pas allemande, comme M. Stargardt, et elle n'a rien découvert du tout, mais elle me donne toujours un crayon avec une petite gomme colorée au bout. Elle m'a dit que pour certaines personnes, la petite lumière s'éteint quand elles sont vieilles, et pour d'autres, elle disparaît avant. Pour moi, elle s'éteindra, et complètement, alors que je serai encore petite.

Je resterai dans le noir, voilà ce qu'elle m'a dit.

Mais je n'ai pas envie d'y penser pour le moment, je veux simplement rêver aux forêts et aux flèches de Robin des Bois.

Je ferme mon petit cahier et j'éteins la lumière.

Tu me donnes un coup de main, Cosimo?

Toi, qui sais tout faire et qui es si bon. Je m'en suis rendu compte parce que, dans le livre, tu lisais des histoires au brigand, même s'il était coupable de beaucoup de choses, tu les lui lisais entre les barreaux de sa prison jusqu'au jour de sa condamnation à mort. Mais moi? Qui va me les lire? Qui va me lire des histoires quand je serai dans le noir et que papa et maman seront au travail?

Si tu ne me donnes pas un coup de main, toi, un ami des arbres comme moi, alors je ne te parle plus. Et je ne pense même plus à toi. Il faut que tu trouves le moyen de m'aider, ça peut être un moyen secret, tu n'as pas besoin de me le dire, il suffit que tu le trouves. Autrement, par la pensée, je fais disparaître les branches sous tes fesses et je te fais tomber dans la lave où il y a des crocodiles, ou par terre, ce qui est encore pire, puisque tu as juré que tu ne descendrais jamais des arbres.

Estella dit toujours qu'on peut s'en sortir toutes seules, qu'on n'a besoin de rien. Mais moi, j'ai vraiment besoin de quelque chose. Alors c'est promis, Cosimo ? Tu me donneras un coup de main ?

3

Le jeu de l'Amazone

L'idée de la liste, c'est Estella qui me l'a donnée, il y a trois ans et onze jours, quand elle est arrivée de Roumanie pour être la gardienne de mon école.

J'étais dans la cour, dans le cerisier, la cloche sonnait et je n'arrivais pas à descendre.

– Tu ne peux plus *descendrre*, pas *vrrai* ?

J'avais regardé en bas de l'arbre en plissant les yeux, et j'avais écarté une petite branche couverte de feuilles jaunes. À côté du tronc, les bras croisés, il y avait une femme de service que je n'avais jamais vue à l'école. Elle était grande, les cheveux bruns et, même si je ne voyais pas bien de quelle couleur étaient ses yeux, ils me semblaient très grands, très noirs, et me faisaient presque un peu peur.

– *Alorrs*, moi t'aider. Et *pouis*, tu vas en classe.

Elle devait être étrangère. J'étais restée immobile dans l'arbre. J'avais trop peur de tomber.

– Mets pied là.

La gardienne aux yeux effrayants me montrait un bout de tronc qui pointait un peu plus bas que moi. Je me cramponnais à la branche sur laquelle j'étais assise. J'avais essayé d'allonger un pied, mais j'avais glissé et l'écorce s'était arrachée sous mon poids. J'avais aussitôt repris mon ancienne position.

– Je ne descends pas.

– Tu vas *rrester* là toute ta vie ?

– Oui.

– *Alorrs* ciao.

La gardienne avait fait un pas vers l'école. On avait entendu un *cric* sous ses pieds, elle s'était baissée et avait ramassé des lunettes rouges par terre. Elles étaient parmi les feuilles.

– Mes lunettes ! Elles sont tombées pendant que je montais à l'arbre. Et maintenant, je n'arrive plus à descendre !

– Ne *pleurre* pas. C'est pas besoin. (La femme aux yeux tout noirs était revenue sous ma branche.) Tu sais, moi aussi en Roumanie, j'allais toujours sur *arrbres*. J'aimais jouer en haut.

J'avais reniflé et je lui avais demandé quels jeux elle faisait.

– Je faisais jeu de… comment on dit… Amazone. Tu sais qu'est-ce que c'est Amazone ?

– Non, qu'est-ce que c'est ?

– C'est une guerrière sur cheval, comme homme. Qui n'a pas peur descendre d'*arrbre*.

– Oui, mais elle n'a pas besoin de lunettes, elle.

– Non. Elle est très *forrte*. Elle a pas peur de rien. Elle coupe un morceau de sein pour *porrter* arc et flèche.

– Un morceau de sein ?

– Oui, la *grrand-merre* de *grrand-merre* de moi était de famille amazone, il y a *trrès* longtemps.

– C'est pas vrai.

– Si, c'est *vrrai*.

La dame aux yeux noirs qui me faisaient peur avait rapidement relevé les manches de sa blouse et avait commencé à grimper à l'arbre. Je me cramponnais à ma branche de toutes mes forces. Arrivée à ma hauteur, elle s'était assise à côté de moi, comme si elle était à cheval.

– Tu as *vou* ? Amazone.

– Mais maintenant, comment on va descendre ?

Elle avait sorti mes lunettes de la poche de sa blouse et me les avait données. Je les avais remises aussitôt. Elles étaient pleines de terre et un peu tordues, mais je voyais mieux avec.

– Maintenant, tu *souis* moi, avait dit la gardienne aux grands yeux.

De près, je voyais qu'elle avait du rouge à lèvres d'un rose vif. Elle avait commencé à descendre aussi vite qu'elle était montée.

– Attends-moi !

– Quoi ?

– Je ne veux pas descendre.

– Mais *pourrquoi*, bonté divine ? Viens, je dois *trravaille*, moi !

Ça m'ennuyait de lui faire perdre du temps. C'était gentil de m'avoir rapporté mes lunettes, mais je ne voulais pas descendre parce que, le jour d'avant, la docteure Olga m'avait dit que j'avais un sale truc aux yeux, et j'avais très peur.

Si je restais là, il ne pourrait rien m'arriver.

Je l'avais dit à cette femme. Je lui avais raconté que je ne voyais pas très bien et que ça allait s'aggraver. Je lui avais dit que je ne voulais pas ne plus pouvoir grimper à l'arbre. Elle avait des yeux immenses, soulignés d'un trait noir.

– Si tu ne peux plus *fairre* les choses, tu dois *écrirre* liste. Comme ça, tu es *sourre* de pas *oublier* aucune.

– Une liste ?

– Oui, une liste. Moi aussi, j'ai fait liste, avant.

– Tu voyais mal, toi aussi ?

– Non.

– Qu'est-ce que tu avais, alors ?

La dame avait soufflé pour marquer son impatience et avait recommencé à descendre de l'arbre.

– J'avais moins *prroblèmes* que maintenant, petite casse-pieds !

Je l'avais suivie tout doucement, en me déplaçant sur ma branche. Elle m'avait un peu vexée en me traitant de casse-pieds, mais j'étais curieuse.

– Et qu'est-ce que tu avais écrit dans ta liste ?

– Descends, je te *montrrerai*. Comment tu t'appelles ?

– Mafalda. Et toi ?

– Estella.

Estella avait sauté de la branche la plus basse du cerisier et s'était tournée vers moi. J'étais arrivée sur une branche basse, moi aussi, et j'avais sauté. Elle m'avait rattrapée au vol et posée par terre. Puis elle était repartie vers l'école mais, avant d'y entrer, elle m'avait fait signe de la main.

– Estella ne dit pas de mensonges. Seulement *verrité*. Allons voir liste d'Estella.

Maintenant, Estella, je la vois tous les jours à l'école.

Quand j'arrive, à huit heures moins dix, elle est à la porte, elle m'attend et me lance son appel secret, qui n'est pas si secret, parce que tout le monde l'entend : elle siffle tellement fort qu'elle nous casse les oreilles. Il n'y a qu'elle qui sache le faire comme ça, avec les doigts dans la bouche. Je l'entends de loin, très loin, et je cours vers elle.

Mais d'abord, je m'arrête devant le cerisier pour le saluer. De la route d'où je viens chaque matin avec papa, j'arrive à le voir de loin (d'un peu loin). En fait, devant moi, il n'y a qu'un petit nuage coloré, mais je sais que c'est l'arbre, ou plutôt ses cheveux, si c'était un bon géant comme je me l'imagine. Grand-mère disait qu'il y a toujours un géant qui habite dans le tronc des arbres, que c'est l'esprit de l'arbre et qu'il passe dans un autre arbre si on l'abat. Dans le jardin de grand-mère aussi, il y avait un cerisier. Quand j'étais toute petite, j'y montais et j'aidais ma grand-mère à cueillir les cerises mûres. Je n'avais même pas besoin de lunettes.

Avec les cerises de l'arbre de grand-mère, on faisait tout de suite un gâteau, et aussi de la confiture pour l'hiver. Mais après, il a fallu l'abattre, le cerisier de grand-mère, parce qu'il avait attrapé des poux, même si, à mon avis, il aurait suffi de lui couper les feuilles. Nous, quand on a des poux à l'école, on nous coupe simplement les cheveux, on ne nous tue pas.

Quand ils ont coupé le tronc, j'ai décidé que le géant était allé vivre dans le cerisier de l'école et qu'il avait emmené avec lui l'esprit de ma grand-mère. Ce serait amusant de compter combien de pas il y a entre l'endroit où j'arrive à voir mon arbre et l'endroit où il se trouve. Comme ça, je saurais à quelle distance je suis du géant de grand-mère. Je plisse les yeux très fort et, finalement, le voilà : une tache rouge, jaune et orange, comme les perruques des clowns, floue, mais il est là. Et tout près, il y a l'école, qui est un nuage bleu foncé. Je me mets à compter : un, deux, trois…

– Allons, Mafalda, si tu marches à ce rythme, on arrivera en retard !

– Papa, combien mesure un de mes pas ?

– Bah, je ne sais pas… cinquante centimètres environ. Tu es plutôt grande pour ton âge.

Je continue à compter. Je compte trente pas et j'entends le sifflement d'Estella. Trente-cinq, trente-six… Quarante, cinquante, cent… Nous arrivons devant la grille de l'école. Estella vient à ma rencontre, dit bonjour à papa et m'accompagne à l'intérieur. Moi, je ramasse une feuille près de l'arbre. Elle est humide, jaune d'un côté et marron de l'autre. Elle a une forme super parfaite et une odeur de terre. Ça me rappelle avant, quand je m'occupais du jardin avec grand-mère. Je la mets dans ma poche.

J'ai fait cent quarante pas pour arriver jusqu'au cerisier depuis que j'ai réussi à le voir.

Soixante-dix mètres.

Deuxième partie

Soixante mètres

4

La partie qui est
au milieu de l'œil

La deuxième page de ma liste est la plus importante pour moi et, comme elle est super secrète, je l'ai cachée entre les deux autres, comme ça, si quelqu'un vole mon cahier personnel et lit la première page, il pensera qu'il n'y a rien de spécial à l'intérieur.

En fait, la première et la troisième pages sont importantes aussi, mais la deuxième encore plus, parce que j'y ai écrit des choses que je ne confierais à personne. J'ai pensé à ce petit truc, parce que *Cherlocolme* aussi en utilise beaucoup pour les choses secrètes.

Tout à l'heure, je dois aller chez la docteure Olga. J'attends que maman ait fini de se maquiller et je fais semblant de caresser Ottimo Turcaret sur le balcon. Mais en cachette, je regarde la deuxième page de ma liste. Estella m'a conseillé de ne pas le faire, parce que ce que j'écris dans ce cahier, ou je le laisse là, ou je l'emmène avec moi, et c'est tout. Ce n'était pas très clair. J'ai décidé que si j'en avais envie, je lirais la deuxième page jusqu'à ce que je sois vraiment sûre d'avoir compris ce qu'Estella voulait dire.

J'entends les talons de maman qui arrivent. Elle met toujours des chaussures à talons pour aller chez le médecin. Je ferme brusquement mon cahier personnel et je le cache sous la chaise longue.

– Tu es prête ? Allons-y !

J'y penserai une autre fois, à cette phrase d'Estella. Elle raconte tellement de choses que je serai sûrement dans le noir avant de les avoir toutes comprises.

La docteure Olga a les yeux verts, je crois.

Elle s'assied derrière son bureau et m'offre un crayon avec une petite gomme en forme de dinosaure. Je lui demande :

– Vous n'en auriez pas une avec une divinité égyptienne ?

Maman, qui est assise à côté de moi, me donne un coup de coude. Papa est là aussi, avec une belle veste sur son bleu de travail. Il est sorti pour manger quelque chose, mais aujourd'hui, il doit rester avec nous à l'hôpital, parce qu'on a les résultats de mes examens. La docteure me répond qu'elle se procurera des crayons avec les dieux égyptiens, au cas où d'autres enfants lui en demanderaient. Puis elle prend un air grave.

– Je dois vous dire que la situation n'est pas bonne. Ces derniers mois, la rétine de Mafalda s'est amincie rapidement, jusqu'à la limite maximale de ce que le tissu peut supporter. La macula…

– La partie qui est au milieu de l'œil, je l'interromps pour que papa et maman comprennent mieux. On l'a appris à l'école.

– Oui, exactement. La macula de Mafalda est sérieusement endommagée, comme le confirment les tests qu'on a effectués.

Je ne suis pas sûre d'avoir compris ce qu'elle raconte, mais je me dis que j'aurais peut-être dû me donner plus de mal quand j'ai passé les tests : je ne suis pas restée vraiment immobile quand ils m'ont mis des fils dans les yeux et, pendant l'examen du point rouge, je me suis carrément endormie ! Je voudrais le dire à la docteure, mais elle continue à parler d'une voix si basse que je dois tendre toute mon oreille vers sa bouche pour l'entendre.

– La rapidité avec laquelle la maladie a progressé ne laisse pas beaucoup d'espoir. Au mieux…

– Combien de temps ? demande papa, d'une voix encore plus basse, comme ça ne lui arrive jamais.

– Au mieux, six mois.

Papa et maman s'affaissent sur leurs chaises comme des ballons crevés. Moi, je m'approche du bureau et je demande à la docteure Olga :

– Six mois avant quoi ?

Elle me regarde derrière ses lunettes aux verres fins.

31

– Avant que tu ne voies plus, Mafalda.

– Alors je resterai vraiment dans le noir ?

Elle garde le silence un moment. Puis elle dit simplement :

– Je suis désolée.

Mes lunettes se couvrent de buée.

Certaines nouvelles, on ne devrait pas les recevoir sans un chat qu'on puisse serrer dans ses bras.

5

Avoir un meilleur ami

Nous revenons de chez le médecin, et je prends Ottimo Turcaret dans mes bras ; je m'en sers comme couverture pour ma petite sieste avec rêve.

J'ai commencé à faire des siestes avec rêve l'année dernière, quand mon cousin Andrea s'est fiancé avec Ravina, qui m'a appris une chose qui s'appelle la méditation, c'est-à-dire un moyen de faire de beaux rêves même quand on est triste, en colère, et qu'on n'a pas tellement sommeil. Il faut être complètement silencieux et imaginer l'intérieur de son corps, ce qui n'est pas vraiment génial, mais on s'y habitue et, au bout d'un certain temps, au lieu de penser à son cerveau et au sang qui coule dans ses veines, on s'aperçoit qu'on ne pense plus à rien. En tout cas, c'est ce qui se passe pour moi. Les bruits de la maison me touchent le visage comme des vagues de caresses, comme des bruits lointains de cloches, et je finis par m'endormir. C'est à ce moment-là que les rêves arrivent.

Aujourd'hui, pendant la sieste, je fais un très beau rêve.

Je rêve que je grimpe au cerisier de l'école, que je monte sur la branche la plus haute, tout en haut. De là, je peux voir le pays entier, ou plutôt le monde entier. Ensuite, j'ouvre les bras, je me mets à voler et j'arrive jusqu'au toit de l'école et encore plus haut. À la fin, je m'en vais. Je vole jusqu'à la lune et l'étoile Polaire, mais je vois bien aussi les autres étoiles, et je joue au foot avec ma grand-mère qui est gardienne de but.

Clara est venue jouer avec moi, mais pas au foot. C'est maman qui l'a appelée, alors que moi, j'aurais préféré rester seule. J'apprends à lire avec les petits points braille et le livre que m'a donné Estella est très beau, un peu étrange. Il s'appelle *Le Petit Prince*. Estella l'a acheté sur Amazon. Mais Clara est mon amie depuis la maternelle, et je ne peux pas faire comme si elle n'existait pas. En réalité, ça fait longtemps qu'elle n'est pas venue à la maison et qu'elle ne m'invite plus chez elle. La dernière fois, c'était pour son anniversaire, en juin, et ensuite on est parties en vacances.

J'essaye de cacher l'alphabet avec les petits points dès qu'elle arrive. Elle me voit quand même et me demande ce que je suis en train de faire.

– Rien.

Je ne sais pas pourquoi, mais je préfère qu'elle ne me voie pas quand je lis avec les petits points braille. Je me sens bête. Je lui propose d'aller dans ma chambre jouer au restaurant, parce que je sais qu'elle aime bien faire la cuisine et qu'elle regarde toujours *Master Chef*. On met la table avec de petites assiettes et des couverts en plastique. Les faux verres, je ne les trouve plus, alors on va remplir deux vrais verres avec de la vraie eau. Clara joue la serveuse et le cuisinier, et moi la cliente. Je fais semblant de regarder le menu, je choisis des plats très compliqués. Clara s'amuse à écrire la commande sur sa main, puis elle répète le nom des plats (en se trompant chaque fois) au cuisinier qui est dans la cuisine, c'est-à-dire dans mon armoire ouverte, et elle se met à faire comme si elle cuisinait. Moi, j'aime bien le jeu du restaurant, mais sans plus, alors, après avoir répété trois fois la même scène, pour changer un peu, je lui propose de jouer à la femme et au mari qui sortent dîner. On dit au revoir à Ottimo Turcaret qui reste à la maison avec la baby-sitter, c'est-à-dire ma poupée Maggy, et on s'installe à table. On a alors la même idée toutes les deux en même temps (ça arrive parfois avec sa meilleure amie) : prendre toutes sortes d'ingrédients pour nos *drinks*, et on court dans toute la maison chercher des choses dégoûtantes à mettre dedans. La terre des pots de fleurs, du sel, du poivre, un peu de parfum de papa, un peu de colle qui ressemble à de la bave d'escargot. On mélange tout avec une fourchette et on se remet à table.

Clara dit :

– Portons un toast !

Elle lève son verre plein d'un mélange jaunâtre et fait semblant de boire. Moi, je tends la main pour prendre le mien, qui est juste à ma gauche, il me semble. Mais tout devient noir devant mon œil et, au lieu de prendre le verre, je lui donne un coup trop fort, je le renverse sur Clara, qui se met à hurler parce qu'elle a mouillé son legging, avec ce truc répugnant, en plus ! L'obscurité se remplit d'araignées scintillantes, je ne vois rien, j'entends juste le verre qui roule et un bruit de verre cassé à mes pieds. Maman arrive à toute vitesse et demande ce qui s'est passé.

Clara veut absolument rentrer chez elle, alors qu'il n'est même pas quatre heures. J'entends sa mère, qui est restée boire un café avec la mienne, lui parler dans le couloir. Peu à peu, la tache noire disparaît de mon œil gauche, mais Clara et sa mère sont déjà à la porte, les clés de la voiture à la main.

Je passe la tête dans le couloir et je dis à Clara :

– On se voit demain à l'école.

Elle me répond simplement : « Ciao », et elle s'en va.

Maman ferme la porte, puis s'approche de moi en tenant toujours un torchon mouillé.

– Tu veux un petit sandwich au chocolat ?

Grand-mère m'en aurait fait un à la confiture.

Je rentre dans ma chambre et me remets à lire *Le Petit Prince*. Ou plutôt, je fais semblant. Maman retourne tout doucement dans la cuisine, et j'en profite pour sortir mon cahier personnel. Je l'ouvre à la deuxième page, celle qui est si secrète et, avec un crayon noir, je barre : « Avoir un meilleur ami ».

6

Lui aussi, il en a

J'aime bien *Le Petit Prince*, mais le personnage que je préfère, *dans l'absolu*, c'est Cosimo, cet enfant qui était aussi baron et qui vivait dans les arbres parce qu'il était en colère contre sa famille. Ce livre-là, c'est le préféré de papa, parce que grand-mère le lui a offert quand il allait au lycée. Elle disait même qu'elle connaissait l'auteur, qu'ils étaient tellement amis qu'elle l'*aimait* presque. Là, je ne la comprends pas vraiment parce que, à mon avis, ou on est amis, ou on s'aime. Il y a deux mots différents pour le dire, ça ne peut donc pas être la même chose. Grand-mère disait qu'avec les amis, on lit des livres, comme Cosimo avec le brigand, voilà, et je suis sûre que Cosimo et moi, on aurait pu lire beaucoup de livres ensemble, si on s'était connus.

C'est la Toussaint, et je n'ai pas école.

Avec mes parents, je vais voir ma grand-mère au cimetière et d'autres gens de la famille que je ne connais pas.

J'aime bien le cimetière parce qu'il est pavé de dalles noires et blanches, comme les échecs, et que je joue toujours à sauter de l'une à l'autre. Mais l'année dernière, j'ai fait trébucher une dame sans le faire exprès et on m'a dit d'arrêter. Alors maintenant, je m'ennuie terriblement au cimetière. La tombe de grand-mère n'est pas belle, elle a un ange au visage un peu stupide dessus, alors qu'elle ne croyait pas aux anges, même si elle m'appelait toujours « mon ange ».

Aujourd'hui, il y a des garçons qui jouent au foot sur la place devant le cimetière. Certains sont de ma classe. Il y a aussi un garçon plus grand que les autres, qui dérange toujours tout le monde et se bat sans arrêt à l'école. Je le reconnais à son blouson bleu avec son nom imprimé dans le dos : Filippo. Il est le seul à en avoir un comme ça. Qui sait où il l'a acheté.

Assise sur le muret du parking, il y a aussi Clara. Je demande à maman si je peux aller avec eux pendant que papa et elle restent avec la famille.

– D'accord, mais ne t'éloigne pas.

Maman dit toujours ça. Où veut-elle donc que j'aille ?

Je m'approche de Clara, qui bavarde avec une autre fille de CM1. Elles me disent bonjour, mais se remettent aussitôt à parler entre elles. De toute façon, moi je m'intéresse plus au foot. En CE1, je me suis entraînée un an dans une équipe mixte de garçons et de filles. J'étais gardienne de but. J'ai dû arrêter parce qu'on m'avait cassé mes lunettes avec le ballon. Mais j'aimerais bien jouer encore en cachette.

Les garçons sont en train de former les équipes. Je n'arrive pas à les compter parce que, de loin, je vois un peu trouble, mais j'entends Marco, un de mes camarades de classe, annoncer qu'il doit partir. Ses parents quittent le cimetière. Moi, j'entends toujours tout ce qui se dit, même de loin, et les bruits aussi. D'après la docteure Olga, mon audition s'est développée parce que j'ai une mauvaise vue. Ça ne suffit pas à me consoler.

Si Marco rentre chez lui, alors je peux jouer à sa place. Je m'approche du groupe de garçons et je demande si je peux le remplacer.

Filippo regarde par-dessus ses lunettes. Lui aussi, il en a, mais je ne m'en étais jamais aperçue, parce que les siennes sont transparentes.

– Pas question. Tu es une fille. Tu ne sais pas jouer.

– C'est pas vrai. J'ai été gardienne de but pendant un an. Demande-lui !

Je montre un autre garçon de ma classe, Kevin. Les autres le regardent.

– Oui, c'est vrai, elle était dans mon équipe. Mais… je ne sais pas…

Je crois qu'il a peur que je me trompe et que je lui fasse prendre un but, alors je lui dis :

– Je sais aussi plonger. Mets-moi dans les buts.

Il me regarde d'un air sceptique. Les autres se taisent, sauf un qui se plaint parce que je suis une fille.

– Si tu ne veux pas jouer, rentre chez toi, lui dit Filippo en le poussant.

Le garçon qui s'est plaint enrage, mais reste. Pendant que les autres continuent à réfléchir à la question, je vais vers les buts, qui sont une place de stationnement marquée par deux blousons posés par terre. Les autres finissent de former les équipes et le petit ami (ou ex-petit ami) de Clara sort un sifflet de la poche de son jean. On commence à jouer.

Notre équipe est meilleure, les joueurs, tous regroupés du côté du but adverse, essaient de marquer. Mais tout d'un coup, un garçon de l'équipe d'en face prend le ballon et vient vers moi, tandis que tout le monde crie autour de lui. Pour être plus sûre, je sors. Son tir est très faible, mais je rate presque le ballon parce que je l'ai vu un peu en retard et que je le laisse tomber. S'il finit dans les buts, ils vont me tuer. Heureusement, j'arrive à l'arrêter et le dégage aussitôt.

Filippo triche. Il donne des coups de pied et de coude et ne laisse jamais le ballon à ses camarades. Je m'en aperçois parce que, quand il passe, les autres tombent par terre ou hurlent : « Faute ! » Mais un joueur de mon équipe se précipite sur lui et, après une certaine confusion, je comprends que Kevin a marqué un but, parce que les nôtres crient et courent à travers tout le terrain avec leur pull sur la tête comme

41

les vrais footballeurs. Je le fais, moi aussi. Mon pull se prend dans mes lunettes, mais quelle importance ?

Le jeu recommence tout de suite, et je ne suis pas prête quand Filippo arrive en courant, le ballon au pied. Je suis seule à défendre les buts. Je transpire un peu et mes lunettes se couvrent de buée. Ce n'est pas parce que je pleure, c'est à cause de la chaleur, mais je ne vois plus bien ce qui se passe. Je me prépare à contrer. Pendant un instant, je vois Filippo shooter dans le ballon sans arrêter de courir, je reçois un coup très fort dans l'épaule gauche et j'entends le ballon qui rebondit à côté de moi. J'essaie de ne pas penser à la douleur et de l'attraper avec les mains, mais je ne vois qu'un truc blanc qui flotte entre les buts et moi. Je le touche. Nos adversaires se mettent à hurler : « But contre son camp ! » et à sauter de joie en courant partout, comme on l'a fait un peu plus tôt.

Les joueurs de mon équipe s'approchent de moi, furieux, ils parlent tous ensemble, et moi… moi, je ne l'ai vraiment pas vu venir, ce ballon. Il vaut peut-être mieux que j'arrête de jouer.

Je ramasse mon blouson, que j'avais posé par terre avec les autres, et je vais vers la voiture de mes parents, si je me rappelle bien l'endroit où elle est. Personne n'essaie de me retenir. Je ne dis même pas au revoir à Clara. Derrière moi, j'entends Filippo crier aux autres :

– On reprend, allez ! Qui veut aller dans les buts ?

Cosimo, pourquoi tu ne me donnes pas un coup de main ?

Toi, tu aimais jouer avec les autres enfants de ton village d'Ombrosa, même si c'étaient des petits voleurs auxquels tu servais de sentinelle, là-haut dans les arbres. Tu vois, tout le monde a un ami qui les aide, mais moi, je n'ai qu'Ottimo Turcaret, qui ne peut pas parler et qui joue très mal au foot, à mon avis. Tu dois m'aider parce que toi, tu es ami avec une bande d'enfants voleurs, tu as ta chère Viola, et un frère aussi, alors que moi, je n'ai personne. Si tu ne m'aides pas, je fais disparaître ton frère du livre par la force de la pensée et j'en fais naître un pour moi, même si je ne sais pas très bien comment faire.

Maintenant que j'y pense, tu ne serais pas là-bas avec ma grand-mère, par hasard ? Qui est venue s'installer dans l'arbre avec le géant quand on a abattu le cerisier de son jardin ? Comme ça, maintenant, tu aurais aussi une grand-mère avec qui passer le temps. Alors, tu sais quoi ? Demande-lui de m'envoyer un signal, qu'elle frappe un petit coup, ou quelque chose comme ça. Parce que sinon, je ne peux pas croire qu'elle soit là et que vous essayiez vraiment de m'aider.

Cosimo, tu vas me donner un coup de main, dis ?

7

Jouer au foot avec les garçons

– Qu'est-ce que tu *ailles* ?

Estella parle très bien notre langue, maintenant, mais elle fait encore quelques fautes. Elle me regarde depuis la petite pièce des femmes de service, celle qui donne dans le hall de l'école et, pendant un instant, ses yeux me font de nouveau peur.

– Rien. Pourquoi ?

– Tu as la tête de quelqu'un qui vient de perdre son chat.

– Ottimo Turcaret va très bien, merci.

Estella ne s'entend pas avec Ottimo Turcaret, parce qu'elle est convaincue qu'il fait ses besoins dans le jardin biologique quand il vient m'attendre à la sortie de l'école. Mais elle a beau ne pas aimer beaucoup mon chat, elle sent toujours quand j'ai quelque chose qui ne va pas. Elle a le troisième œil, elle aussi.

– Alors, qu'est-ce qui s'est passé ?

J'entre dans la petite pièce, je m'assieds sur la chaise à roulettes et je commence à tourner en poussant avec mes pieds.

– Rien. Mais je ne fais que des catastrophes.

Estella me fait descendre de sa chaise, où elle s'installe, et elle fouille au fond d'un tiroir à la recherche de paquets de chips qu'elle confisque aux autres élèves. Elle m'en offre un, et on en grignote quelques-unes ensemble.

– Tu fais toujours des catastrophes, Mafalda. Tu es faite comme ça.

J'arrête de manger une seconde et je regarde mes pieds.

– Non. C'est parce que je ne vois pas.

Elle me met une chips sous le nez.

– Il y en a combien ?

– Une.

– Alors, tu vois.

Je jette toutes celles que j'ai à la main dans la corbeille sous le bureau. Je suis au bord des larmes.

– Qu'est-ce que ça peut faire combien de chips je vois ! Je veux jouer au foot, moi ! Je veux voir le ballon quand il arrive !

– Et moi, je veux aller sur la lune demain matin.

Quand elle dit ce genre de chose, j'ai envie de lui donner un coup de poing dans le nez. Mais après, elle me sourit avec son rouge à lèvres rose fuchsia, et j'ai envie de rire, moi aussi, en pensant que demain, elle pourrait très bien ne pas venir à l'école et qu'on me téléphonerait pour m'apprendre qu'elle est sur la lune.

Elle arrête de manger à son tour.

– Mafalda, tu n'as pas compris que ce n'est pas si important de voir une chose ou une autre ?

– Comment ça ? C'est important de voir le ballon si je veux jouer au foot.

– Et c'est si important pour toi de jouer au foot ?

– Oui. J'y tiens beaucoup.

– Tellement important que si tu ne joues pas, tu meurs ?

Je réfléchis.

– Bah, peut-être pas à ce point-là.

– Alors, ce n'est pas essentiel.

Estella jette le sachet de chips vide.

– Qu'est-ce que ça veut dire, essentiel ?

Elle s'essuie les mains avec un mouchoir en papier, puis prend son sac et en sort un petit livre. Elle le feuillette, me fait signe de m'approcher à sa façon, en ouvrant et en refermant rapidement la main. Je vais derrière elle et j'essaye de lire par-dessus son épaule, mais je n'y arrive pas. Pour moi, les mots sur les livres sont trop petits, ce sont des fourmis noires et immobiles qui n'ont aucun sens.

– Qu'est-ce que c'est ?

Estella lit à haute voix :

– « Adieu, dit le renard. Voici mon secret. Il est très simple : on ne voit bien qu'avec le cœur. L'essentiel est invisible pour les yeux. »

– C'est *Le Petit Prince* !

– Oui. Tu n'as pas lu les mots sur la page, mais tu as compris quel livre c'était.

– Quel rapport avec moi ? Je ne sais pas ce que c'est que l'essentiel.

– Tu sais ce que c'était pour le Petit Prince ?

– Sa rose, je crois.

– Et il pouvait la voir ?

– Non, parce qu'il l'avait laissée sur sa planète.

Nous gardons le silence pendant un moment. J'attends qu'elle m'explique mieux. Mais elle n'explique rien. Elle se lève, me met les mains sur les épaules et dit :

– Trouve ta rose, Mafalda. Trouve ton essentiel. Quelque chose que tu puisses faire même sans les yeux.

Elle me fait tourner sur moi-même vers le hall, me pousse dehors. Et elle ferme la porte de la petite pièce. Je l'entends qui commence à chanter une chanson de Marco Mengoni. Je comprends alors que je dois vite m'en aller et que je suis très en retard à mon cours de catéchisme. Qui est horriblement ennuyeux. Merci, Estella.

Quand j'arrive presque au fond du hall, je l'entends ouvrir la porte et dire à haute voix :

– Et ne jette *yamais* la nourriture ! Prochaine fois, tu la reprends dans la corbeille et tu l'emportes chez toi pour ton vilain chat !

Quelque chose que je puisse faire même sans les yeux.
Je suis allongée sur mon lit avec mon petit cahier personnel ouvert sur les genoux et Ottimo Turcaret qui me réchauffe les pieds.

C'est difficile. Sans les yeux, on ne peut presque rien faire. Bon sang ! Pourquoi est-ce que ce brouillard Stargardt est tombé justement sur moi ?

Je barre « Jouer au foot avec les garçons », je jette mon cahier sous le lit et j'éteins la lumière.

Ce matin, le cerisier a des cheveux châtains avec des mèches jaunes comme ma maman. Un, deux, trois… trente, quarante, soixante…

Cent vingt pas.

Il y a soixante mètres entre mes yeux et le cerisier.

Troisième partie

Cinquante mètres

8

Ne pas être seule

Je joue très bien à colin-maillard.

Les yeux bandés, on cherche les autres à l'aveuglette. Je n'aime pas ce mot, aveuglette. Les yeux bandés, oui, parce que ça montre qu'on reste dans le noir juste le temps du jeu. J'aimerais rêver que je joue à colin-maillard, me réveiller et découvrir que j'ai gardé le bandeau sur les yeux, comme ça, je pourrais l'enlever et voir de nouveau correctement.

Les autres ne veulent jamais jouer avec moi à colin-maillard, ils croient que je triche parce que j'arrive à les attraper, même les yeux bandés. En fait, j'ai un truc : je reste complètement immobile au milieu d'eux et je tends l'oreille pour savoir si quelqu'un bouge. Rien de plus facile alors, que de prendre celui qui s'est déplacé, il suffit de bondir vers le bruit. Et personne ne s'y attend. Au bout de plusieurs fois, ils s'énervent, ils disent que je vois sous le bandeau et ils se mettent à jouer avec les cartes de *Dragonbol*. Là, je ne peux pas tricher, même si je veux, parce que je n'arrive pas à lire ce qui est écrit dessus.

Je joue donc toute seule dans le jardin. Maman me permet de rester en bas pendant qu'elle prend sa douche, mais je dois rentrer avant qu'elle se soit essuyée. Maman se lave très vite et ne se sert même pas du sèche-cheveux, pour pouvoir me surveiller le plus vite possible, je peux donc rester là huit ou neuf minutes. J'ai pris une de ses écharpes toutes douces dans son armoire, et très foncée, comme ça, quand je me bande les yeux, je ne peux pas voir dehors même sans faire exprès. Je décide d'aller de la cabane à outils de jardinage jusqu'à la barrière, au fond de la cour, sans tomber et sans tendre les bras en avant comme un zombie. Je ne sais pas pourquoi je fais ce jeu, mais j'ai envie d'essayer de marcher dans le noir. Les premières fois, j'avais tout de suite peur et j'enlevais l'écharpe au bout de deux petits pas. Maintenant, j'avance tranquillement. Marcher dans le noir, ça fait drôle, tu as l'impression de nager entre les feuilles liquides et noires d'un arbre, avec les branches qui essaient de t'arrêter, mais gentiment, sans déchirer ton tee-shirt. Toi, tu avances en te sentant en danger et en équilibre en même temps, tu es seule, mais comme surveillée par quelqu'un que tu ne connais pas et qui n'est pas ta maman du haut du balcon.

Grand-mère disait qu'on ne peut pas comprendre les choses qu'on n'essaie pas. Alors, moi j'essaie.

J'effleure du doigt les buissons secs des hortensias le long du mur de la cour, je m'en sers comme point de repère pour ne pas arriver au milieu du jardin. Quand je marche les yeux fermés, je me trompe toujours de direction, même si je suis sûre d'aller tout droit. Au bout de quelques pas, une chose poilue se frotte contre mes jambes et m'empêche d'avancer : c'est Ottimo Turcaret ; je dois m'arrêter pour ne pas lui marcher dessus et pour le caresser. Je le prends dans mes bras et j'arrive au fond du jardin avec ses ronronnements contre ma poitrine. Il est chaud, il est lourd. Si je ne savais pas qu'il est gris, je jurerais que c'est l'un de ces gros chats orange, avec une tête énorme et un cou épais. Les chats au poil orange sont plus grassouillets que les autres, je ne sais pas pourquoi. Je me demande une chose : comment on peut reconnaître les couleurs dans le noir ? Il faudra que je pose la question à mes parents.

La pointe de mon pied touche le bois de la barrière et je m'arrête. Tandis que j'hésite à me retourner et à revenir en arrière ou à suivre la barrière, j'entends les freins d'une bicyclette qui grincent tout près de moi. C'est sûrement quelqu'un qui s'est arrêté dans le parking, derrière l'immeuble.

– Salut !

J'enlève aussitôt l'écharpe autour de ma tête. La lumière de l'après-midi m'envoie quelques étoiles devant les yeux, mais je remets vite mes lunettes et je vois Filippo avec son blouson bleu clair, sur un vélo jaune, un vélo de femme, mais sans panier derrière. Il a les mains sur les hanches, les poings serrés et les jambes écartées, il se tient sur la pointe des pieds pour ne pas tomber de ce vélo qui doit appartenir à un adulte – à sa sœur ou à sa mère. Il porte le même blouson qu'à la Toussaint, alors qu'un bon mois est passé et qu'il commence à faire assez froid. Il doit bien aimer avoir son nom imprimé dans le dos. Comme ça, on peut le reconnaître et savoir qui il est.

Moi, je voudrais rentrer à la maison et ne pas lui parler. J'ai peur qu'il me frappe, comme il le fait avec tout le monde, même si je sais me défendre. Je serre Ottimo Turcaret contre moi. Je ne pense pas qu'il me protégerait dans une bagarre. C'est plutôt le rôle des chiens. Les chats sont opportunistes. Et ils ne savent pas descendre des cerisiers.

– Tu sais pourquoi les chats ne savent pas descendre des cerisiers ?

Je pose la question sans réfléchir. Ma grand-mère disait toujours qu'il n'y a pas de question stupide mais, tout d'un coup, je me sens un peu stupide.

– Quoi ?

Filippo appuie ses mains sur son guidon et freine, même s'il est déjà arrêté. Il semble un peu surpris par ce que je lui ai demandé.

– Rien.

– Tu habites ici ?

– Tu ne sais même pas qui je suis.

– Bien sûr que si. Tu es celle du foot.

– Je m'appelle Mafalda.

– Et moi, Filippo.

Je pose Ottimo Turcaret par terre.

– Je sais.

Filippo se penche sur le côté avec sa bicyclette et passe une main entre les planches de la clôture pour caresser Ottimo Turcaret. Je suis un peu nerveuse, j'ai peur qu'il lui fasse mal. Mais il le gratte derrière les oreilles et Ottimo Turcaret a l'air plutôt content.

– Comment il s'appelle ?

– Ottimo Turcaret.

– Il a un nom de famille ?

– C'est un double prénom. Ça vient d'un livre.

– Ah bon ? Quel livre ?

– Tu ne le connais pas. C'est pour les grands. C'est le livre préféré de mon père.

– Mon père aussi aime lire. Il me lisait toujours une histoire avant que j'aille me coucher.

– Le mien aussi le fait.

Je préfère ne pas lui demander pourquoi il a dit « lisait ». Peut-être que ses parents sont divorcés et que son père ne vit plus avec eux. En général, ceux qui ont des parents divorcés se mettent en colère quand on leur en parle. Je préfère donc me taire.

– Alors, c'est quel livre ? insiste-t-il.

– Lequel ?

– Celui que ton père préfère.

Je n'ai pas très envie de le lui dire, mais il a remis ses poings sur ses hanches et ça m'inquiète un peu.

– *Le Baron perché*.

– Tu l'as lu ?

Je ne comprends pas pourquoi ça l'intéresse autant.

– Oui, c'est mon père qui me l'a lu.

– Alors tu ne l'as pas lu toute seule.

– C'est la même chose.

Filippo pose son menton sur ses mains et appuie ses coudes sur la barrière.

– Il te l'a lu parce que tu es aveugle ?

Je me sens devenir toute rouge, tandis que mes lunettes se couvrent de brouillard.

– Je ne suis pas aveugle.

Je prends Ottimo Turcaret dans mes bras pour rentrer à la maison, quand l'écharpe de maman tombe. Je n'arrive pas à la retrouver.

– Mais tu vois très mal, non ?

Je ne réponds pas, je continue à chercher l'écharpe pendant quelques secondes en tâtant l'herbe froide et sèche de ma main libre. Finalement, je décide de laisser tomber et de m'en aller.

Je tourne le dos à Filippo, il a été méchant : moi, je ne lui ai rien demandé sur ses parents divorcés. J'entends un bruit confus de pédales et de chaîne de vélo, puis un battement sourd et ses pas qui me rejoignent sur l'herbe sèche du jardin. Je lui dis sans me retourner :

– Sors d'ici !

– Tiens !

Quand quelqu'un te dit : « Tiens ! », d'habitude, il te donne quelque chose, je tends donc la main dans le brouillard et je touche un objet en tissu tout doux. L'écharpe.

– Mafalda !

La voix de maman m'appelle, inquiète, par la porte-fenêtre. Ça doit faire plus de huit ou neuf minutes qu'elle est entrée sous la douche. J'ai envie de rentrer aussitôt en courant, mais je me rappelle que si une personne ramasse quelque chose que tu ne trouvais plus, qui n'était pas à toi et que tu avais pris sans permission, il faut dire merci.

Je m'arrête dans l'allée et je vois une tache bleu clair qui s'éloigne. Je n'ai pas envie de le remercier à haute voix pendant que maman me regarde d'en haut.

– Rentre, maintenant !

J'entre dans l'immeuble. Une seconde avant que la porte se referme, j'entends un vélo passer dans la rue, avec sa sonnette qui retentit joyeusement et continue à faire *dring ! dring !* jusqu'à ce que le son soit trop faible, même pour moi, et que je ne puisse plus qu'imaginer où va son propriétaire, qui semble si libre et si heureux. Je voudrais le rappeler, lui demander de m'emmener sur le porte-bagages, parce que ça fait trop longtemps que je ne fonce plus à toute vitesse à bicyclette, ni même à pied. Mais il est libre, lui, il a des lunettes transparentes, il peut aller où il veut. Moi, je suis en prison, comme si j'avais été arrêtée par

Scotland Iard, sauf que les barreaux sont en brouillard et que mes compagnons de cellule se sont tous déjà enfuis.

Dans ma chambre, je m'allonge sur mon lit, toujours en peignoir, et je prends mon cahier personnel. Je l'ouvre à la deuxième page, celle des choses importantes. D'un trait noir, je barre « Ne pas être seule ».

Ce matin, à l'école, il y a un papier plié en quatre sur ma table. Quand je l'ai vu, j'ai cru que c'était un papillon blanc mais, en y réfléchissant, je me suis dit que c'était impossible. Il fait trop froid pour les papillons en cette saison, ils sont tous partis en vacances ou dans le tronc d'un arbre, comme grand-mère et son géant.

Je ne reçois jamais de messages. Chaque fois que la maîtresse se retourne pour écrire au tableau, les autres commencent à se lancer des paquets de mouchoirs en papier pleins de petits mots. Pour se dire quoi, je ne sais pas. À moi, ils n'en lancent jamais. Je suis assise au tout premier rang, parce que sinon, je ne peux rien lire au tableau et que je ne peux pas savoir ce qu'il faut faire comme devoirs à la maison, mais j'entends les bouts de papier voler derrière moi. De temps en temps, un paquet rebondit sur mon épaule et tombe par terre en faisant un bruit, genre *pat*. Un jour, je me suis retournée pour en ramasser un, la maîtresse m'a grondée, parce qu'elle a cru que c'était moi qui avais écrit le message. Les autres se sont mis à ricaner, et j'ai décidé de ne plus m'en occuper.

Mais celui-là, il est pour moi seule, il est sur ma table comme un papillon posé sur une fleur. Je vais le lire aux toilettes, parce que c'est privé, et puis, je ne veux pas que les élèves de ma classe me voient lire, j'ai honte. Pour déchiffrer les inscriptions, même les très très grandes, je dois m'approcher tout près de la page, comme les vieux au supermarché, qui n'arrivent pas à lire la date limite des sachets de salade. Sauf que moi, je ne suis pas vieille. Papa m'a acheté une loupe, il dit que je pourrai l'utiliser comme *Cherlocolme*, le détective qu'on retrouve toujours dans les livres et dans les films. Mais je ne veux surtout pas m'en servir devant les autres.

Alors je vais dans les toilettes des filles avec le message dans la poche de mon tablier, ma loupe dans l'autre, et je m'enferme à l'intérieur.

J'ouvre le papier, et je lis :

Pour répondre aux questions tu deviens toute rouge. Tu es ma petite princesse ou, plutôt, ma petite baronne.

9

Inventer des parcours
sur le trottoir : si tu tombes,
tu te retrouves dans la lave et tu meurs

L'hiver, le cerisier de l'école est très triste.

Ses feuilles partent en vacances avec les papillons, et le géant qui habite à l'intérieur enlève toutes les fleurs des branches pour se faire une couverture colorée.

Sans sa belle chevelure, je n'arrive pas à voir le cerisier de loin. Heureusement, il y a l'appel d'Estella qui me fait comprendre que je suis arrivée, même si papa me le dirait de toute façon. Avant, j'étais trop petite pour aller à l'école toute seule ; maintenant, j'ai le brouillard Stargardt et on ne me laissera plus jamais aller me promener sans être accompagnée. Si Ottimo Turcaret était un petit chien, comme le basset de Cosimo dans le livre (qui n'était pas à lui, en fait, mais à son amie Viola), il pourrait me guider. Je pourrais essayer de le dresser, mais il n'est pas très intelligent. Je l'aime bien quand même, parce qu'il m'attend à la sortie de l'école, et que personne d'autre n'a un chat qui l'attend à la sortie de l'école.

À la sonnerie d'une heure, on devrait se mettre en rang deux par deux, mais ma classe sort dans le plus grand désordre et la maîtresse n'arrive jamais à vérifier que chacun part bien avec ses propres parents. D'habitude, Estella m'accompagne jusqu'à la grille, c'est papa et maman qui le lui ont demandé. Mais aujourd'hui, Estella n'est pas là. Je vais dans la petite pièce du personnel de service demander si on sait où elle est. C'est le plus vieux de tous, celui qui est chauve avec un tee-shirt toujours plein de taches de sauce tomate, qui m'apprend qu'elle est sortie plus tôt pour passer des contrôles. Il ne sait pas ce qu'elle devait contrôler. Il ne me demande même pas si je veux qu'il m'accompagne à la grille. Celui-là, il reste toujours enfermé dans cette pièce à se faire du café, il se fiche complètement des élèves, sauf quand ils se font mal, parce que c'est lui qui doit leur mettre de l'alcool et un pansement, et ça fait encore plus mal.

Je sors de l'école et je m'arrête juste derrière la grille. Mon père et ma mère veulent que je les attende là. Parfois, ils ont quelques minutes de retard parce qu'ils travaillent tous les deux dans un autre village et qu'ils doivent se dépêcher de venir me chercher en voiture.

Il n'y a presque plus personne. Le minibus est parti, les voitures des autres parents s'en vont. Un groupe de garçons à vélo passe près de moi et, à travers leurs cris et leur vacarme, il me semble entendre un bruit de sonnette que je connais. Quand il sort du groupe, qui pour moi est un fouillis de couleurs qui se déplacent toutes ensemble sur la ligne blanche du trottoir, je reconnais aussi le grincement des freins et le blouson bleu clair.

– Bonjour.

– Bonjour.

– Tu attends tes parents ?

Comme l'autre jour, je sens une caresse très douce passer entre mes chevilles. Je prends Ottimo Turcaret dans mes bras et je décide, sans trop réfléchir, de marcher vers la maison.

– Non. C'est lui que j'attendais.

Filippo caresse la tête d'Ottimo Turcaret quand j'arrive à sa hauteur, mais je le dépasse, je me mets à marcher le plus vite possible le long de la route, et il reste derrière moi. Maman sera furieuse quand elle arrivera et qu'elle ne me trouvera pas, elle croira que j'ai été enlevée, mais je continue à avancer. Je veux que Filippo pense que je rentre à la maison toute seule et que je le fais tous les jours. Il faut donc que j'aie l'air très calme. Sauf que si je croise la voiture de maman ou de papa maintenant, c'est la catastrophe, j'aurai vraiment l'air bête. Alors, au lieu de continuer tout droit, je prends la première rue à droite, puis je tourne dans une autre petite rue.

J'entends le vélo de Filippo freiner de nouveau à côté de moi.

– Par où tu passes ? me demande-t-il en pédalant tout doucement.

J'avais oublié qu'il sait où j'habite. Je deviens toute rouge et je ne réponds pas.

– À mon avis, tu vas te perdre. Je t'accompagne.

– Non, merci.

Je ne comprends pas pourquoi il me suit. Il veut peut-être me prendre Ottimo Turcaret. J'ai l'impression qu'il lui plaît beaucoup.

Il faut que je change de chemin et que je le fasse partir. Maintenant, je me suis distraite et je ne sais plus quelle direction prendre. J'essaie de lire le nom de la rue sur une plaque mais, à la place des mots, je vois les habituelles petites fourmis noires.

Filippo est toujours derrière moi.

– Je t'avais bien dit que tu allais te perdre. Viens, je t'accompagne !

– Non.

– Tu ne veux pas rentrer chez toi ?

– Non. Je fais un tour.

Je repense au jeu des parcours étranges. Je monte sur le bord du trottoir et j'en commence un.

Filippo me suit.

– Qu'est-ce que tu fais ?

– Un jeu.

– Quel jeu ?

– Il faut marcher tout droit le long d'une ligne. Si tu tombes sur le côté, tu te retrouves dans la lave et les crocodiles te mangent.

– Des crocodiles ? Comment ils peuvent vivre dans la lave ?

– Ça n'a pas d'importance. C'est pour rire. Mais si tu tombes, tu perds.

– Combien de temps il faut tenir ?

– Je ne sais pas. Le plus longtemps possible.

– C'est idiot, comme jeu.

Filippo appuie sur ses pédales et s'éloigne sans me dire au revoir.

Voilà, je me suis ridiculisée et, en plus, je suis perdue. Par prudence, je continue à jouer aux parcours étranges, parce que j'ai l'impression d'entendre encore le vélo de Filippo et que, s'il revient, il faut qu'il croie que je fais vraiment un tour.

J'arrive chez moi presque par hasard, plus d'une heure après la sortie de l'école. C'est encore une chose que je sais faire, calculer dans ma tête le temps qui passe. Mais pour le moment, ça ne m'aide pas.

Maman est à la porte de notre immeuble, son portable à l'oreille. Dès qu'elle me voit, elle court à ma rencontre, se jette à genoux et me serre tellement fort contre elle que je n'arrive presque plus à respirer.

– Nous étions terriblement inquiets. Heureusement que tu vas bien. Qu'est-ce qui s'est passé ?

Papa descend l'escalier à toute vitesse et, lui aussi, il me serre dans ses bras musclés.

Au début, je n'ose pas avouer que je suis partie toute seule, de peur qu'ils me grondent.

Mais ils me regardent, l'air si préoccupé, que je dis la vérité. À moitié.

– J'avais envie de revenir à la maison seule, mais je me suis perdue. Excuse-moi, maman.

J'essaie de prendre moi aussi un air triste et inquiet. En général, ça marche.

Pas cette fois. Papa explose :

– On t'a répété mille fois que tu devais attendre devant l'école ! Tu ne peux pas rentrer seule, tu le sais bien !

Maman pose la main sur son bras et lui dit :

– Giovanni.

Maman fait toujours comme ça quand il y a un vrai problème et que mon père se met en colère. C'est sa façon de le calmer. Quelquefois, elle dit : « Giò, mon amour. » Alors papa monte dans l'appartement en pesant de tout son poids sur chaque marche et en grommelant.

On monte aussi l'escalier et, dès le palier, je sens la bonne odeur de la pizza aux saucisses de Francfort, celle que je préfère. Maman me fait entrer dans la cuisine et m'en donne une grosse part, même si je l'ai inquiétée à mort. Elle en donne une à mon père, qui ne la remercie pas, mais qui la regarde en posant sa main sur son bras, tandis qu'elle se penche au-dessus de son assiette avec la pelle à pizza. J'ai l'impression qu'à ce moment-là, mon père et ma mère sont presque, presque, des amis.

C'est le soir. Je mets mon pyjama bleu ciel et je prends Ottimo Turcaret dans mes bras. Je m'approche de la fenêtre de ma chambre, mais je ne le pose pas sur le rebord pour qu'il ne prenne pas froid. Je regarde dehors. Soudain, mon cœur bondit et bat très vite sous le coton de mon pyjama. Je ne vois pas l'étoile Polaire. La lune, si, elle est juste en face de moi et brille comme une lanterne. Mais l'étoile qui, d'habitude, est là, près d'elle, non. Je voudrais appeler maman, lui dire que l'allumette de Jésus s'est éteinte, mais je décide de me taire. Je plisse les yeux, j'en ferme un, puis l'autre. Rien. Le ciel bleu foncé me paraît propre, lisse, sans nuages. Les nuages, ils sont dans mes yeux et ils m'ont masqué l'étoile Polaire. Pour Noël, je me ferai offrir une de ces lampes qui projettent des étoiles au plafond. Le plafond étant plus près que le ciel, j'arriverai peut-être à en voir encore quelques-unes, cinq ou six, ou même quatorze ou quinze. En attendant, je sais ce que je dois faire : je vais chercher mon cahier personnel, je le feuillette et, avec un crayon noir, je barre « Inventer des parcours sur le trottoir : si tu tombes, tu te retrouves dans la lave et tu meurs ».

Cosimo, quand est-ce que tu me donneras un coup de main ?

Tu vois, ces derniers jours, je me suis dit que d'une certaine façon, tu m'aidais, je ne sais même pas pourquoi. Mais après, il arrive toujours quelque chose qui ne va pas, et alors je comprends que tu n'es pas là, que tu joues aux échecs sur une branche avec ma grand-mère, ton bonnet de fourrure sur la tête, et que tu t'en fiches de moi. Tu es bien au chaud sous ton bonnet de fourrure, tandis que moi, je dois échapper aux monstres qui sont dans le noir et qui m'avaleront s'ils m'attrapent. Alors, dis-moi, Cosimo, comment je vais m'en sortir, moi ?

10

Ne jamais, jamais se rendre

Noël.

Et il pleut. Ça me dégoûte !

Le bruit de la pluie, je l'entends tellement fort, mais tellement fort qu'il recouvre tout le reste. Je suis devant la fenêtre de ma chambre et je souffle sur la vitre pour faire de la buée. Je dessine une petite étoile avec mon doigt sur le carreau. Il est froid contre mon front. J'ai l'impression d'être dans un autre monde, avec la pluie qui bat dans mon cœur.

Je n'entends même pas maman qui m'appelle pour qu'on ouvre les cadeaux. Je ne m'aperçois de sa présence qu'au moment où elle pose une main sur mon épaule et me dit que c'est maintenant. Je pense alors que j'ai oublié de demander qu'on m'offre la lampe projette-étoiles.

C'est la fin de la matinée, et je vais devoir mettre ma robe à carreaux rouges et blancs qui me fait mal aux yeux pour aller déjeuner chez mon oncle et ma tante. Heureusement, il y aura aussi mon cousin Andrea et sa fiancée indienne, Ravina. Au moins, avec eux, je m'amuse un peu. Je ne regarde pas ma robe, soigneusement étalée sur mon lit, et je suis maman dans le salon. Notre arbre de Noël est vivant par miracle. Mes parents ne savent pas très bien s'y prendre avec les plantes. Ce sapin, qu'on a mis près de la porte-fenêtre pour qu'il ait de la lumière, a déjà tellement d'aiguilles sèches que c'est à peine s'il soutient les boules en verre si légères. Pourtant, la vendeuse du centre commercial avait dit qu'il durerait jusqu'au printemps. Elle ne pouvait pas imaginer qu'Ottimo Turcaret ferait pipi dans le pot du sapin. Je ne l'ai pas vu, mais je sens l'odeur. Je m'assieds sur le tapis à côté de l'arbre et je renifle les cadeaux. Apparemment, ils ont été épargnés. Papa les a posés sous les branches les plus basses hier soir, en croyant que je dormais. Mais comment dormir la veille de Noël? Ce qui est vraiment, vraiment bien, c'est que Noël arrive pour tout le monde. Même pour ceux qui, comme moi, ne voient que la lune quand ils n'ont pas leurs lunettes.

Maman me met son cadeau entre les mains. C'est un petit paquet doré, bien fermé, avec un ruban rouge tout autour. À l'intérieur, il y a un casque avec une clé USB pour écouter de la musique.

– J'ai déjà chargé tes chansons préférées.

C'est un beau cadeau. Je ne m'y attendais pas.

– Je peux enregistrer des livres, aussi ?

Maman regarde papa. Il s'agenouille à côté de moi sur le tapis.

– Comment sais-tu qu'il y a des livres qu'on peut écouter ?

– C'est l'AESH, le maître qui s'occupe des élèves handicapés, qui me l'a dit.

Papa me caresse la tête comme je le fais, moi, à Turcaret. Ce n'est pas désagréable.

– Et quels livres voudrais-tu ?

Je le regarde en remontant mes lunettes sur mon nez.

– Ton livre préféré.

Papa sourit.

– D'accord. Laisse-moi quelques jours et je te le chargerai.

Ensuite, il me donne son cadeau. Il est plus grand que celui de maman et il est mou. Je le déballe lentement. Espérons que ce n'est pas un pull. Quand quelqu'un de ta famille t'offre des vêtements, il se trompe toujours de taille et, en général, il croit que tu aimes une couleur que tu détestes. Mais on ne peut pas le dire, c'est mal élevé. En plus, chaque fois que tu vas le voir, tu dois mettre le pull qu'il t'a offert et qui ne te va pas du tout.

Mais là, ce n'est pas un pull. Je sors du papier que j'ai déchiré une grande couverture très colorée et je l'étale sur mes genoux. Ce sont des carrés de laine cousus ensemble, chacun d'une couleur différente : jaune, rose fuchsia, vert… de belles couleurs, très vives. Je passe la main sur la couverture. La laine ne pique pas comme celle des pulls ratés, elle est lisse et soyeuse. Elle me donne envie de m'envelopper dedans et de rester immobile sur le tapis à écouter la pluie.

Quel curieux cadeau de la part d'un père ! Il a dû s'apercevoir que j'étais étonnée, parce qu'il s'assied à côté de moi et m'explique que cette couverture était un cadeau de ma grand-mère pour l'anniversaire de mes dix ans.

– Elle y travaillait même le soir tard, pour finir à temps les dix carrés. Tu sais, elle a commencé à la faire un peu avant d'aller à l'hôpital. Tu te rappelles quand on l'y a amenée ?

J'enfouis mon visage dans la couverture pour qu'il ne voie pas mes yeux.

– Oui. (Puis, je pense à quelque chose.) Pourquoi elle n'a pas fait seulement huit carrés ? Elle aurait fini plus vite. J'ai eu huit ans l'année où elle est allée habiter dans l'arbre.

– Elle aimait bien les surprises. Elle ne voulait pas tout te donner pour tes huit ans. Elle voulait que tu aies un souvenir d'elle au bout d'un certain temps aussi.

– Elle voulait revenir ?

– D'une certaine façon, oui.

Je suis contente. Tellement contente que j'oublie

d'offrir mes cadeaux à mes parents. De toute manière, ce n'étaient que deux dessins de leur visage, deux portraits que j'avais faits en cachette en regardant attentivement la photo de leur mariage qui est dans un cadre d'argent dans l'entrée. Je les poserai sur leur oreiller ce soir.

Avant de me préparer pour le déjeuner, je pense soudain à autre chose.

– Aujourd'hui, ce n'est pas l'anniversaire de mes dix ans.

Mon père et ma mère se regardent un moment. Puis maman répond :

– Nous avons voulu te faire la surprise deux mois avant. On n'en pouvait plus de cacher cette couverture, c'était trop émouvant.

Ils restent assis à côté de moi en silence pendant quelques minutes, puis ils commencent à échanger leurs cadeaux. Je voudrais leur dire que j'ai tout compris, qu'ils ont bien fait de me donner cette belle couverture maintenant. Maintenant que je peux encore la voir. Je la mets sur mes épaules et les carrés rouges et bleus retombent sur mes pantoufles. Tout d'un coup, je me rappelle l'autre question que je voulais leur poser.

– Quand je serai dans le noir, vous m'enverrez dans une école de couleurs ?

Ils arrêtent de se remercier pour les cadeaux, et je comprends qu'ils ne savent pas quoi dire.

Aujourd'hui, Ravina est très belle, elle s'est coiffée avec une tresse d'un côté qui lui arrive jusqu'à la taille et elle s'est maquillé les yeux en bleu. Elle porte une robe normale, pas indienne et, même si elle n'est pas de la même religion que nous, Ravina a un parfum d'église. Elle a toujours un parfum d'église, parce qu'elle sent la même odeur que cette fumée blanche que le prêtre répand sur les gens pendant la messe. Quand elle me voit, elle me serre fort dans ses bras et m'offre tout de suite son cadeau, un poster avec un flamant rose et une grenouille.

La grenouille est dans le bec du flamant, mais elle n'a pas encore été mangée, parce qu'elle lui serre le cou avec ses pattes de devant. On voit qu'il essaie de l'avaler, mais qu'il n'y arrive pas parce qu'il a le cou bloqué. Sous le dessin, il est écrit : *NEVER EVER GIVE UP*. Je lui demande ce que ça veut dire.

— NE JAMAIS, JAMAIS SE RENDRE. Comme la grenouille.

Je me mets à rire.

— Mais elle est fichue !

Ravina me tapote le nez avec son doigt.

— Pas encore, Mafalda. Pas encore.

— Et quand est-ce que la lutte finit ?

— Quand l'un des deux abandonne.

— À ton avis, qui va abandonner le premier ?

Ravina regarde l'affiche pendant un moment.

— Ce n'est pas le plus important. Ce qui compte, c'est de ne jamais se rendre.

Je m'approche du poster pour mieux le regarder. La grenouille semble vraiment en mauvaise posture, avec sa tête entièrement rentrée dans le bec du flamant et ses petites pattes de derrière qui pendent.

– Oui, mais c'est dur.

– Tu préfères finir mâchée et digérée ?

– Non ! Quelle horreur !

– Alors…

– … ne jamais, jamais se rendre ! J'ai compris. Merci. Ce soir, je l'accrocherai dans ma chambre.

11

Je sais bien !

Maman met des talons hauts deux fois par an seulement, en dehors des jours où elle m'emmène chez le docteur : pour son anniversaire de mariage avec papa, même si, en général, elle prépare un petit dîner à la maison, et puis le dernier jour de l'année, c'est-à-dire aujourd'hui.

J'entends ses talons, *tac tac tac*, dans la cuisine, pendant qu'elle range les verres et les petits sandwichs d'apéritif qu'elle a faits avec papa. À moi, ils m'ont donné un soda et ils m'ont expédiée dans ma chambre pour que je m'habille. Maman m'a mis deux rubans pleins de petits brillants dans les cheveux et un peu de son parfum, aussi, qui est trop fort pour moi, mais c'est le sien et je l'aime bien.

Pendant que je suis devant le miroir, dans ma chambre, que j'essaie de cacher les petits brillants sous mes cheveux, je m'aperçois que mes parents sont en train de parler d'une chose que je ne dois pas entendre, parce qu'ils baissent la voix et chuchotent entre eux. Je sais bien que ça ne se fait pas, mais j'ai envie de les écouter en cachette. Je m'approche de la porte du couloir sans faire de bruit. Les talons de maman ne se sont pas encore calmés. Je me concentre pour comprendre ce qu'elle dit et pourquoi elle parle si doucement.

– Ça ne va pas être facile, au début.

Une chaise racle le sol. Papa s'est levé.

– Tu es sûre de vouloir le faire ?

– Oui. Bien obligée.

– Tu ne peux pas prendre quelques mois de congé sans solde ?

– À quoi bon ? Dans très peu de temps, ça va s'aggraver. Il faudra que je reste avec elle toute la journée.

« Elle », c'est moi.

Je les entends soupirer. Ils ne bougent plus. Il n'y a plus de verres à ranger.

– Tu en as déjà parlé à ton supérieur ?

– Un peu. Il dit qu'ils ne peuvent pas changer mes horaires d'entrée et de sortie, parce que j'ai déjà des dérogations pour ses visites médicales. Mais si je donne ma démission, ils m'accorderont une bonne indemnité de départ.

Donner sa démission ? Qu'est-ce que ça veut dire ?

– Espérons ! Tu arrêterais quand ?

– Le 1er février.

– Bon. C'est peut-être ce qu'il y a de mieux. Je ferai des heures supplémentaires au bureau. Il faut qu'on commence aussi à penser à l'appartement.

Je ne comprends pas. J'ai tellement de pensées qui tournent dans ma tête qu'on dirait les papillons blancs qui volettent autour du tronc du cerisier.

– L'agence m'a donné des adresses. À partir de lundi, on ira visiter des appartements à côté de l'école.

– Tu leur as expliqué qu'il ne faut pas qu'il y ait d'escalier ?

– Oui, et que le loyer ne doit pas être trop élevé, non plus.

J'éternue malgré moi et ils se taisent, dans la cuisine. Pendant un instant, toute la maison est silencieuse.

– Mafalda, tu es prête ?

Je sors dans le couloir.

– Oui, maman.

– Alors, allons-y !

Il est une heure moins le quart du matin et je dors dans le grand lit de mon oncle et de ma tante, pendant que les grands boivent dans de tout petits verres et parlent à voix basse dans le salon.

En fait, je ne dors pas. Je continue à penser à ce que j'ai entendu tout à l'heure. Comment je vais faire s'ils veulent vraiment déménager ? Comment je vais faire si on va dans une maison d'où on ne voit pas la lune par la fenêtre de ma chambre ? Et je ne verrai pas non plus la maison de grand-mère, même si maintenant, les voisins qui y habitent ne nous disent pas bonjour. Et Ottimo Turcaret... si elle ne lui plaît pas, cette nouvelle maison ? Il est habitué à celle-là, je ne sais pas s'il voudra aller vivre ailleurs.

Il faut que je fasse quelque chose. À côté de mon lit, il y a mon sac à dos avec mes vêtements pour demain. J'y ai mis aussi ma trousse, des feuilles de papier à dessin et le MP3 que maman m'a offert à Noël. Je le cherche dans le noir, je mets mon casque et j'appuie sur la touche ronde. J'écoute le livre préféré de papa. La voix très forte d'un homme, qui semble assez vieux, raconte :

– *Où vas-tu ?*

Nous pouvions le voir par la porte vitrée pendant qu'il prenait son tricorne et sa petite épée dans le vestibule.

– *Je le sais parfaitement !*

Et il courut vers le jardin.

Peu de temps après, à travers les carreaux nous le vîmes grimper dans l'yeuse.

J'appuie sur « stop » et je m'assieds brusquement. J'ai trouvé. Moi aussi, j'irai vivre dans un arbre, comme Cosimo. Je m'installerai dans le cerisier de l'école et je suivrai les cours par la fenêtre, cachée dans les branches, comme ça, personne ne me verra.

Il faut que je m'organise parce que, bientôt, je resterai dans le noir et je ne pourrai plus apporter les choses dont j'aurai besoin en haut du cerisier. Je dois faire un plan. Je prends une feuille de papier et ma trousse dans mon sac à dos, puis j'écoute de nouveau la voix du vieil homme :

Il était vêtu et coiffé très comme il faut, ainsi que notre père voulait le voir à table, malgré ses douze ans : cheveux poudrés noués en queue-de-cheval par un ruban...

Je marque sur mon papier que je dois vérifier le sens du mot « poudré ». En tout cas, un ruban pour les cheveux, j'en ai déjà un. Continuons.

Quatrième partie

Quarante mètres

12

Voir quelle tête j'aurai
quand je serai grande

- *une casserole pour me faire à manger*
- *un matelas pour mieux dormir*
- *le MP3*
- *la couverture de grand-mère*
- *stylos, cahiers, crayons*
- *un grand parapluie pour m'abriter de la pluie*
- *un…*

– Mafalda, qu'est-ce que tu fais ?

Je cache la feuille de papier avec la liste des choses que je dois monter dans le cerisier entre les pages de mon cahier d'exercices. La maîtresse me voit, je suis au premier rang, juste devant son bureau, mais elle fait semblant de rien. Elle me dit simplement d'être attentive à l'explication qu'elle est en train de donner.

Je prends le crayon avec le dinosaure que m'a offert la docteure Olga, comme si je voulais noter ce que dit la maîtresse, et elle se tourne de nouveau vers le tableau.

– Donc, les muscles se divisent en muscles longs et en muscles courts…

Les muscles. Qu'est-ce que ça peut faire qu'ils soient longs ou courts ? J'arrête aussitôt d'écouter, même si je continue à regarder vers la maîtresse pour qu'elle me laisse tranquille, et je repasse ma liste dans ma tête.

Une casserole pour me faire à manger. C'est vrai que je n'ai pas encore réfléchi à la façon de me procurer à manger, une fois là-haut. Je pourrais emporter un peu de provisions pour commencer. Il y a aussi le problème du lit. Il me faudrait un petit matelas de plage à poser sur deux branches proches l'une de l'autre. Clara en a un à deux places. Ses parents l'ont apporté au bord du lac, la dernière fois que nous y sommes allés tous ensemble, Clara et moi, mon père, ma mère et eux. Ça fait un certain temps déjà, mais ils doivent toujours l'avoir. À moins qu'ils en aient racheté un. Ils sont assez riches. Qui sait si Clara me le prêtera. Je ne crois pas. Nous ne sommes plus tellement amies. Il faudra que je l'emprunte sans demander. C'est ce que faisait Robin des Bois aussi, non ? Il volait aux riches pour donner aux pauvres. Clara est riche et moi, c'est comme si je n'avais rien du tout, maintenant que je dois aller vivre dans l'arbre toute seule. Si j'étais plus grande, je pourrais m'acheter ces choses avec mon argent, mais si j'attends de grandir, il sera trop tard : je grandis beaucoup moins vite que le noir dans mes yeux.

Je regarde autour de moi pour repérer qui est assez riche dans ma classe pour que je puisse lui emprunter quelque chose sans lui demander. Je dois me retourner pour le faire. De toute façon, la maîtresse est occupée à dessiner les muscles avec sa craie rouge. Les autres élèves ne s'aperçoivent même pas que je les épie, ils sont pris par le dessin, eux aussi, mais je parie qu'ils ne recopient pas les muscles qui sont au tableau. Kevin, qui est assis derrière moi, a un crayon vert à la main, et il est sûrement en train de dessiner ses serpents adorés. Je sais qu'il aimerait en avoir un, mais il ne peut pas s'en acheter. Il n'est pas riche, lui.

Plus loin derrière, je n'arrive pas à bien voir ce qui se passe, mais tout bouge, il y a de l'agitation, je l'entends. Je crois que c'est Clara et Martina qui jouent à «Un baiser ou un gage» avec les deux garçons assis devant elles, pendant que les autres ricanent. Voilà, Christian, lui, il est riche, il a une piscine et, tous les ans, il vient à l'école avec un nouveau sac à dos Eastpack.

Un éternuement explose dans la rangée des tables près de la fenêtre.

– C'est dégoûtant ! Tu as craché sur mon cahier ! crie Francesca, qui est arrivée cette année de Sicile.

Elle a raison, la pauvre, elle est assise à côté d'Albertino, dit Bouboule, parce qu'il est petit, tout rond et rose comme un ballon, qu'il continue à manger même quand ce n'est pas la récré. Même moi, j'arrive à voir les miettes de pain, de salade et les gouttes de mayonnaise éparpillées sur son cahier et sur celui de Francesca : c'était vraiment un bel éternuement !

La maîtresse s'approche de leur table et demande à Bouboule de nettoyer. Elle le gronde parce qu'il mangeait en classe. Il sort alors de son casier une jolie boîte rose, lisse comme lui, et tout le monde se met à rire. Ça doit être une boîte repas. J'en avais déjà vu : celle-là, elle garde la chaleur. Papa en a une, mais verte, pour aller au travail. Avec ça, je n'aurais plus besoin de réchauffer la nourriture dans l'arbre. Je ne peux pas prendre celle de papa, il en a besoin au travail. Je devrai prendre celle de Bouboule, et ça m'ennuie, parce qu'il n'est pas très riche. En même temps, s'il ne l'a plus, il arrêtera peut-être de manger toute la journée. La maîtresse s'occupe toujours de cette histoire de miettes. J'en profite pour sortir la feuille que j'avais cachée au milieu d'un livre, et j'écris les idées que j'ai eues ce matin.

Nous sommes en train de ranger nos affaires dans nos sacs avant de rentrer chez nous. On frappe à la porte de la classe et Estella entre, un papier à la main.

Elle n'a pas voulu me dire quel contrôle elle avait passé le mois dernier, le jour où elle n'était pas à l'école.

– Ça ne te regarde pas, m'a-t-elle lancé sèchement.

Puis, voyant que je la fixais, elle a ajouté :

– Le dentiste. Trop de chips.

Elle m'a fait sourire et, quand on se met à rire, toutes les deux, on ne peut plus parler de choses sérieuses.

– Les enfants ! Un moment d'attention, s'il vous plaît : on a la confirmation de notre voyage. Écrivez dans vos cahiers l'heure et l'endroit du départ.

J'avais oublié que la semaine prochaine, notre classe va passer deux jours à la montagne. Ça pourrait être une chance pour moi, parce que chacun apportera des choses qui pourraient me servir. Je griffonne n'importe comment les mots dictés par la maîtresse sur une page au hasard de mon carnet de correspondance, tellement je suis excitée par mon aventure de Robin des Bois. Estella, qui attend la signature de la maîtresse sur le double du papier qu'elle a apporté, me regarde en hochant la tête. Elle se penche sur ma table et murmure :

– Passe me voir tout à l'heure, je collerai la feuille dans ton carnet.

Et moi, je vais voir Estella. J'y vais toujours, même si elle fait souvent la tête et quelquefois elle me roule en boule comme une chaussette qu'elle voudrait jeter dans la machine à laver et passer à l'essorage. C'est peut-être pour ça que je retourne toujours la voir : elle ne fait jamais semblant. Contrairement à papa et maman. Aux maîtresses, et aux autres élèves, aussi. Il n'y a qu'Estella et Ottimo Turcaret qui sont sincères, voilà, et pour moi, c'est important. À moins que ce soit surtout pour ses histoires que j'aime bien rester avec Estella.

Ce mois-ci, nous lisons un livre qui s'appelle *Le Livre-Cœur*. D'après elle, c'est un peu sirupeux, mais moi, j'adore Garrone, surtout quand il s'accuse d'une faute qu'il n'a pas commise à la place d'un autre et que l'instituteur s'en aperçoit simplement en le regardant dans les yeux. «Ce n'est pas toi», dit le maître à Garrone, et lui, il retourne à sa place, tout triste. Mais il a quand même fait très bonne impression.

Je pose mon sac sous le bureau et je me laisse tomber sur la chaise à roulettes. Pour prendre mon élan, j'appuie mes mains sur le bureau et je touche *Le Livre-Cœur* du bout des doigts. Je le prends et l'approche de mes yeux, en faisant tourner le fauteuil. Comme il n'y a personne, en dehors d'Estella qui photocopie le papier de la classe de neige, je prends ma loupe dans la poche de mon tablier et je m'en sers pour lire le nom de l'auteur : Edmondo De Amicis. Italien. J'avais oublié qu'il s'appelait comme ça.

Estella fouille dans mon sac pour chercher mon carnet de correspondance, elle l'ouvre à la bonne page et me le met sous le nez avec un tube de colle.

– Colle ça toute seule, tu peux le faire.

Je commence à étaler la colle sur le papier, et je la regarde derrière mes lunettes.

– Estella, il n'y a pas d'écrivains roumains ?

– Roumains ? Bien sûr qu'il y en a. Pourquoi il n'y en aurait pas ?

– Parce qu'on ne lit jamais d'histoires roumaines.

Elle me sourit en fuchsia, et je suis contente d'être là.

– Tu sais quelle est l'histoire roumaine la plus célèbre du monde ? *Dracula*.

Je me lève d'un bond et laisse la chaise tourner à vide.

– Dracula ? Dracula est roumain ? Je croyais qu'il était anglais !

Estella s'assied et croise les mains sur ses genoux d'un air joyeux qui me donne des frissons, mais de bons frissons. J'aime les histoires qui font peur.

– Il n'est pas anglais, il vient de Transylvanie, qui est en Roumanie. Son nom veut dire « fils du diable ». Quand j'étais petite, c'est ma grand-mère qui me racontait cette histoire, et je mourais de peur. Mais c'était bien.

Je tombe à genoux devant elle, et elle éclate de rire.

– Estella, s'il te plaît, tu me la racontes comme faisait ta grand-mère ? S'il te plaît, s'il te plaît, s'il te plaît !

– Toi aussi, tu aimes avoir peur ?

– Oui !

– Et pourquoi ?

– Je ne sais pas, et toi, pourquoi tu aimais ça ?

– Parce que j'étais sûre d'être toujours vivante, en sentant la peur.

Je ne comprends pas ce qu'elle veut dire, mais je réponds :

– Moi aussi.

Estella ne peut pas me garder plus longtemps à l'école, elle regarde par la fenêtre et voit la voiture de maman. Elle me met mon sac à dos.

– On n'a pas le temps aujourd'hui. Une autre fois. Ah, Mafalda…

On s'arrête à la porte de l'école. Estella me serre la main.

– Je voulais te demander si tu avais réfléchi à ton essentiel.

Je regarde par terre. Je l'entends qui se baisse jusqu'au niveau de mes yeux.

– Tu dois y penser. C'est important.

– OK. Je pourrai te le dire un peu plus tard ?

On descend l'escalier. Je vois le nuage rouge de la voiture de maman devant la grille, et Estella me lâche la main.

– Mais oui, tu peux. Tu as encore deux ou trois mois devant toi pour décider.

Je monte dans la voiture. Maman se met aussitôt à parler de plein de choses, mais je pense à ce qu'Estella vient de me dire. Je n'ai pas beaucoup de temps, c'est vrai. Mais même si c'est vrai et que, pour moi, c'est important qu'elle me dise toujours la vérité, il y a des jours où j'aimerais que ce soit un peu moins vrai.

Pourtant, Estella a raison, je n'ai pas beaucoup de temps.

À la maison, papa est rentré déjeuner avec nous, et pas seulement pour déjeuner.

– On a une surprise, me disent-ils, avec des sourires et des caresses.

Je serre Ottimo Turcaret contre moi et je lui donne un peu de mon thon, que je n'aime pas du tout. Papa arrête de sourire et me gronde. Je me dis qu'il n'a peut-être pas relu son livre préféré depuis trop longtemps, parce que, s'il l'avait relu hier soir, par exemple, il se rappellerait qu'il ne faut pas obliger les enfants à manger ce qu'ils n'aiment pas, sinon ils risquent de s'enfuir dans un arbre, comme Cosimo, qui ne voulait pas manger d'escargots. Je mets un petit morceau de thon dans ma bouche, je le garde là et regarde mon père fixement. Le contour de sa tête est flou, comme tout ce que je regarde au bout de quelques secondes, et je l'imagine avec une perruque pleine de boucles très très longues à la place de ses cheveux normaux. J'ai envie de rire, et puis je pense que mon papa et le père de Cosimo, le baron, se ressemblent vraiment beaucoup.

Je voudrais faire tout de suite mes devoirs et pouvoir m'occuper de mon plan secret pour m'enfuir dans le cerisier, mais maman m'appelle dans la salle de bains, me fait mes couettes très serrées et me dit qu'on doit aller quelque part.

À la fin, ils m'emmènent voir un nouvel appartement, plus petit que le nôtre, au rez-de-chaussée, avec un jardin minuscule et sans escalier (comme le voulait papa). Je regarde par la fenêtre d'une petite pièce, qui sera sûrement ma chambre, et je vois le mur d'une autre maison. La cuisine est très belle, toute brillante, avec un four et une machine à laver la vaisselle neufs, mais on entend les pas des gens qui habitent au-dessus, et il y a un énorme écriteau sur la porte de l'immeuble : PAS D'ANIMAUX DOMESTIQUES.

Pendant le retour, mes parents ont essayé sans arrêt de me demander ce que je pensais de cet appartement, mais je n'ai pas répondu. Et maintenant, je réfléchis à toute vitesse au moyen de m'enfuir le plus vite possible. Papa me crie du couloir : « À tout à l'heure ! », il doit repartir travailler. Moi, je sors lui dire au revoir, puis je vais dans ma chambre et j'accroche à la poignée de la porte l'écriteau DO NOT DISTURB, avec le portrait des *Bitols* qu'Andrea m'a rapporté de son voyage d'études en Angleterre. Je regarde autour de moi, comme je l'ai fait en classe. Ottimo Turcaret dort sur la couverture de grand-mère étalée sur mon lit. En fait, il ne dort pas parce que, quand je me tourne vers lui, il lève la tête et ronronne en attendant des caresses, comme toujours. En le regardant, je repense à l'image d'un livre qu'on me lisait quand j'étais petite, où deux enfants s'échappaient sur un radeau et avaient un baluchon attaché à un bâton comme valise. Je pourrais utiliser la couverture de grand-mère pour envelopper mes affaires.

– Sois sage, Ottimo Turcaret !

Je tire la couverture sous le chat, je le traîne presque en bas du lit, mais il s'agrippe de toutes ses griffes à la couette et proteste en miaulant. J'étends soigneusement la couverture par terre : elle est assez légère pour que je puisse l'attacher et assez résistante pour que je mette des objets dedans. Je commence à ramasser quelques affaires et à les mettre au milieu de la couverture. Pour le moment, je vais la cacher sous mon lit, comme ça, à la première occasion, dès que j'aurai fini de tout préparer, je la fermerai avec un nœud et je la fourrerai dans mon sac à dos pour l'école. Le bâton était une bonne idée, mais on me découvrirait tout de suite : qui va se promener avec un bâton sur l'épaule ? Tandis que moi, je pourrais faire semblant d'aller à l'école et, à la place de mes livres, je mettrais dans mon sac tout ce qu'il me faut pour aller vivre dans mon arbre. C'est un plan parfait. Je regarde le miroir pour me faire OK avec mon pouce, mais je vois seulement quelque chose qui bouge et qui paraît être très, très loin.

Je prends mon cahier personnel sur l'étagère au-dessus de mon lit, et je l'ouvre à la deuxième page.

Voir quelle tête j'aurai quand je serai grande

Mes lunettes se couvrent de buée et j'ai tout juste le temps d'effacer cette phrase avant que tout devienne nuageux devant moi, autour de moi, et en moi.

Cosimo, mais pourquoi tu ne me donnes pas un coup de main ?

J'ai peut-être trouvé le moyen d'aller vivre avec

grand-mère et toi dans le cerisier, mais j'aurais besoin d'un bon coup de pouce, tu te rappelles ? Toi, tu es arrivé jusqu'au village des Espagnols en voyageant sur les arbres, mais moi, comment je peux faire ? Il n'y a pas autant de plantes qu'à Ombrosa, ici. Je dois penser à tout moi-même. Bientôt, ce sera mon anniversaire et j'imagine déjà la fête que je pourrais faire si j'habitais dans le cerisier, avec plein de ballons accrochés aux branches, une tarte à la confiture de ma grand-mère et une musique très forte, de celles qui semblent te toucher le visage, exploser dans ton cœur et qui te donnent envie de monter encore le son.

Tu m'aides à l'organiser, dis, Cosimo ?

13

Manger des olives noires
Chanter dans un groupe

Dans la salle de concert de l'école de musique, aujourd'hui, il y a le récital du milieu de l'année. Je suis venue écouter mon cousin Andrea et ses élèves guitaristes.

J'aime beaucoup la musique, peut-être parce qu'il n'y a rien à voir. Maman aurait aimé que j'apprenne à jouer d'un instrument, mais je n'ai jamais voulu, surtout depuis que j'ai du brouillard dans les yeux, parce que je n'arrive pas à lire les notes : pour moi, ce sont des fourmis arrêtées sur une ligne noire.

Mais j'aime bien écouter. Quand les lumières de la salle s'éteignent, je ferme les yeux. Les airs de guitare, de violon, de piano viennent alors vers moi, sur ma peau, et me donnent l'impression que je marche lentement sur la plage au bord de l'eau, l'été, vers cinq heures de l'après-midi, quand il ne peut rien arriver de mal.

– Il y a ce garçon qui est venu bavarder avec toi dans la cour.

Maman m'indique un petit point sur la scène. Je me redresse dans mon fauteuil en essayant de voir un peu mieux.

– Qui ? Où ?

– Celui qui a un vélo de femme. Il est dans le groupe des petits pianistes.

Filippo ? Chez les petits pianistes ? Ça ne peut pas être lui. Maman doit avoir du brouillard dans les yeux, elle aussi. On applaudit et le concert commence.

Ce sont d'abord les enfants de maternelle qui chantent, ils ont suivi un cours de chorale. Puis ce sont ceux du violon qui jouent. Quel massacre !

– Le voilà, c'est lui. Comment s'appelle-t-il, déjà ?

Je vois quelqu'un qui marche sur la scène, qui s'arrête un moment au milieu, sous la grande lumière, et qui s'assied devant un gros piano noir.

– Filippo.

– Ah oui, c'était écrit aussi sur son blouson.

Alors c'est vraiment lui.

Le silence tombe sur la salle et Filippo commence à jouer. Ça doit être un air difficile, parce qu'il dure très longtemps. J'aurais bien aimé voir comment bougent ses doigts pendant que cette très belle musique entre dans ma tête, me prend par la main et me dit de courir avec elle, comme si c'était une amie. Et moi, je cours, je cours sur un clavier très long, qui devient une plage, chaque note est une vague, et moi, je saute par-dessus et dedans et je deviens un dauphin, libre. La musique fait bouger toute la mer, elle lui fait faire ce qu'elle veut. Et dans cette mer de gouttes scintillantes, je le vois, je vois mon sous-marin, celui que j'aurais voulu piloter quand j'étais petite, quand on me demandait ce que je voudrais faire plus tard. Quand j'ouvre les yeux, toute la salle est remplie jusqu'au plafond de fleurs très colorées sous-marines et flottantes ; puis la musique descend en gouttes limpides, comme la voix du monsieur qui lit les livres sur mon MP3 et, à la fin, elle devient toute petite et bleue, une simple larme sur mon visage, qui tombe et mouille le col de ma robe.

Quand Filippo arrête de jouer, on entend un grand silence. On l'entend vraiment. Puis tout le monde se met à applaudir si fort que les fauteuils tremblent. Filippo ne vient pas saluer au bord de la scène. Il s'en va aussitôt, même si certains réclament un bis. À sa place, les élèves du collège arrivent avec leurs guitares, et Andrea les aide à se placer sur la scène. Mais moi, je n'ai plus que cette mélodie dans la tête. Je ne sais pas si ce qui m'étonne le plus, c'est que ce soit Filippo qui l'ait jouée ou qu'il existe dans le monde quelque chose de tellement beau qu'on en pleure.

Après le spectacle, il y a une petite réception. Mes parents font un tas de compliments à Andrea, puis se mettent à bavarder avec Ravina et lui près de la table des sandwichs et des petits fours.

– Je peux aller voir le piano ?

Papa répond tout de suite non, mais maman le prend par le bras.

– Giovanni.

Alors, je peux m'éloigner un peu. Je vais dans la salle de concert. Elle est vide, tout est éteint, seul le piano noir est éclairé par un projecteur.

– Ils vont l'enlever, maintenant, dit quelqu'un, assis dans un fauteuil au premier rang.

Je ne l'avais pas vu.

– Je ne t'avais pas vu.

Filippo se lève.

– Je sais. Je t'ai fait peur ?

Je le rejoins.

– Non. Qu'est-ce qu'ils vont enlever ?

– Le piano.

Filippo me prend par le poignet et m'emmène sur la scène. On s'assied sur le tabouret du piano.

– L'école ne peut pas se permettre d'en acheter un aussi grand, alors, chaque fois qu'on fait un spectacle, un homme riche nous prête le sien.

– Tu joues très bien. Je ne le savais pas.

– Parce que je n'en parle à personne. C'est mon père qui m'oblige. Et puis, je ne joue pas si bien que ça.

Je me tais. Filippo passe les doigts d'une main sur les touches noires et blanches.

– D'ailleurs, il n'est même pas venu m'écouter, aujourd'hui.

– Ce n'est sûrement pas parce que tu ne joues pas assez bien.

– Qu'est-ce que tu en sais, toi ?

Je l'ai mis en colère. J'essaie de m'excuser.

– Fais-moi entendre encore quelque chose. L'air de tout à l'heure.

– Non. (Filippo met la main sur le couvercle du piano, comme pour le fermer.) Tu n'as pas entendu ? Je n'aime pas étudier le piano, on m'oblige à le faire.

– Même quand tu joues ce que tu veux, toi ?

Il réfléchit un instant.

– Tout seul, j'ai appris un air moderne, pas comme celui que j'ai joué avant.

– Je t'écoute.

– Je ne suis pas sûr que ce soit vraiment ça. Je n'ai pas la partition.

– Joue, on verra bien !

Filippo pousse un petit soupir, pose les mains sur le clavier, mais ne se met pas à jouer tout de suite. Il se tourne vers moi. Je le regarde, moi aussi, et je suis sur le point de lui demander ce qu'il a, quand il me prend les mains et les appuie sur le piano, à côté de la petite étagère où on met les partitions.

– Pourquoi ?

– Laisse-les là.

Il commence alors à jouer l'air d'une chanson que j'entends très souvent dans les CD de papa. Elle parle d'un sous-marin jaune. C'est étrange, avant même de l'entendre avec mes oreilles, j'ai l'impression que le son entre dans ma tête par mes mains, par la surface du piano qui est comme du pétrole dur, glissant, chaud sous ma peau chaude. Les notes descendent des bras de Filippo, que je sens remuer à côté de moi, puis elles agitent tout doucement la surface du piano. Les paumes de mes mains me chatouillent. La musique monte, enveloppe mes épaules, puis me fait bouger, bouger, et je ne peux pas me tromper de rythme parce qu'il est en moi.

Filippo joue d'une façon très drôle et moi, je ne peux pas m'empêcher de chanter le refrain, de me balancer un peu sur le tabouret en riant. Lui aussi, il sourit jusqu'à la dernière note. On enlève tous les deux nos mains du piano.

Je l'applaudis.

– Bravo !

– Je t'apprends, si tu veux.

Je perds immédiatement toute ma gaieté.

– Je n'arrive pas à lire les notes.

– C'est pas grave. Je viens de jouer sans partition, là.

– Une autre fois, peut-être.

– Promis ?

Je me sens rougir.

– Seulement si tu continues à apprendre tes chansons modernes.

– D'accord. Marché conclu.

On se serre la main, mais moi, j'essaie de ne pas serrer trop fort, de peur d'abîmer ses doigts de musicien.

C'est la fin de la réception et les parents remettent leurs manteaux pour rentrer chez eux. Papa et maman bavardent avec une femme jeune, aux cheveux très noirs.

– Maman !

Filippo court vers elle et la serre contre lui. Il est presque aussi grand qu'elle.

– Nous parlions justement de vous, annonce mon père.

Je déteste quand ils font ça, parce qu'ils ne racontent jamais ce qu'ils se sont dit.

– Ils peuvent venir à la maison ? demande Filippo à sa mère.

Elle a un visage rond et clair comme la lune, et de grands yeux.

– Bien sûr. On va grignoter quelque chose ?

Papa enfile sa veste.

– Alors, on va commander une pizza. Ça te va, Mafalda ?

– Et comment ! J'adore les pizzas.

– Surtout avec des saucisses de Francfort, ajoute Filippo.

– Oui, surtout avec des saucisses.

L'appartement de Filippo est au-dessus d'un magasin où on imprime ce qu'on veut écrire sur les tee-shirts.

Sa mère travaille là, voilà pourquoi il a un blouson avec son nom. Dans cette boutique, on peut marquer ce qu'on veut, pas seulement sur les tee-shirts, mais aussi sur les coussins, les nappes, les serviettes. Ça doit être super de travailler dans un endroit comme ça ! Filippo dit qu'un jour, il me fera entrer à l'intérieur et qu'il mettra en marche les machines à imprimer pour moi toute seule.

Pendant le trajet en voiture, sa mère nous raconte qu'elle a pris le magasin en même temps que l'appartement où ils habitent en ce moment, mais que ça ne marche pas très bien. Personne ne fait plus imprimer son tee-shirt, tout le monde le commande sur Internet.

– Quand je serai grand, je serai informaticien, comme ça, je te créerai un site et tu pourras imprimer les tee-shirts *on line*, lui dit Filippo.

Elle lui caresse la joue. Nous sommes assis tous les trois à l'arrière, dans la voiture de papa, avec Filippo au milieu qui prend toute la place.

– Ou alors je t'achèterai un magasin de parfums, reprend-il. C'est ton rêve.

– Vraiment, Cristina ? demande maman en se tournant légèrement vers nous. J'ai remarqué que tu as un parfum extraordinaire.

C'est vrai. Il sent les noisettes et le caramel. Délicieux.

– C'est une de mes créations. Tout à l'heure, à la maison, je vous le ferai sentir.

104

L'appartement est au premier étage. Filippo et sa maman Cristina y vivent seuls, sans même un chat. Mais la mère de Filippo parle avec les plantes – c'est lui qui me le chuchote –, surtout avec les géraniums du balcon.

– Ce sont mes autres enfants, dit-elle joyeusement.

Je la trouve très sympathique, un peu fofolle peut-être.

Maman doit penser la même chose que moi, parce qu'elle rit beaucoup, et il y a longtemps que je ne l'avais pas entendue rire comme ça. Elle aide Cristina à mettre la table. Papa appelle la pizzeria et, pendant ce temps-là, Filippo me montre sa chambre. Elle est petite et pleine de Transformers. Je le sais parce que je marche sur un robot en entrant. Je le ramasse et cherche un endroit où le mettre. Je m'aperçois alors que toutes les étagères en sont remplies.

– Waouh, super !

– C'est mon père qui me les offre, de temps en temps. Ça me dégoûte.

– On ne dit pas « ça me dégoûte » des choses qu'on a.

Filippo se jette sur son lit en envoyant valser ses chaussures et allume une mini-télé sur une petite étagère.

– Mais toi, tu m'as dit que Noël t'avait dégoûtée.

– C'est vrai. Tu te rappelles tout, hein ?

– Pas tellement. Et même, depuis quelques mois, je voudrais me souvenir de rien. Viens là !

J'enlève mes chaussures, moi aussi, et je m'assieds

à côté de lui. De la mini-télé sort un air de piano que je connais bien : c'est la chanson que Filippo a jouée tout à l'heure, celle du sous-marin jaune.

– Chantons ! dit-il, et il commence à sauter sur le lit.

Je me mets à rire, je crois que c'est une espèce de karaoké, mais même si je n'arrive pas à lire les paroles de la chanson sur l'écran, à la fin, je chante les passages que je connais par cœur et je saute sur le lit.

– *Iou liv oneu yello seubmariii…*

On chante de plus en plus fort en nous servant d'une chaussure comme micro, mes lunettes tombent et, quand la musique finit, on se jette par terre depuis le bord du lit. Puis on reste là, à reprendre notre souffle.

Au bout d'un moment, Filippo se tourne vers moi et me regarde. Son visage est près du mien, mais sans mes lunettes, c'est comme s'il était loin. Un gros nuage gris le recouvre presque entièrement et je me demande s'il le voit dans mes yeux.

– De quelle couleur sont mes yeux ?

– Marron. Pourquoi ?

– On ne voit rien dedans ?

Il se tait pendant quelques secondes. Je crois qu'il fixe mes pupilles.

– Non, rien. Mais…

Voilà, je le savais. On voit les taches de mon brouillard.

– Il y a plein de nuances vertes et jaunes. Comme un bois plein de champignons.

Ce n'est pas génial comme compliment, mais j'aime bien les bois. C'est toujours mieux que le brouillard Stargardt.

– Pourquoi ? Qu'est-ce que tu pensais qu'on voyait ?

Je regarde mes chaussettes, ou plutôt je regarde vers mes chaussettes.

– Rien. Quelquefois, j'ai l'impression que les autres voient mon brouillard.

– Ton brouillard ? Qu'est-ce que tu veux dire ?

Filippo est intéressé, il s'est même assis, les jambes croisées, en face de moi. Il doit être à un centimètre de moi et me regarde fixement.

– Arrête !

Je le pousse en arrière, il se met à rire et revient tout près. Je souffle d'impatience.

– Je veux bien te l'expliquer si tu ne te moques pas de moi.

– Promis.

– Il y a de petites taches qui se forment dans mes yeux et qui deviennent de plus en plus grandes.

– Beaucoup ?

– Non. Deux : une dans un œil et une dans l'autre.

– Tu les vois tout le temps ?

– Au début, non. Mais maintenant, elles sont assez grandes et je les vois toujours. Elles effacent les choses et sont encore plus sombres quand je suis fatiguée.

– J'ai compris. Et on ne peut pas les effacer, elles ?

– Non.

– Et le brouillard ?

– Il vient en même temps que les taches, il te montre tout comme dans de la brume, pas seulement là où tu as les taches.

– Eh ben… et tu n'as pas peur ?

Je ne réponds pas. Alors Filippo se lève et me demande si j'ai appris la musique quelque part.

– Non, pourquoi ?

– Tu chantes bien.

– N'importe quoi !

– Si, je t'assure. Tu n'as même pas fait une fausse note. Viens !

Il prend quelque chose dans son armoire. Une guitare. Il la sort de son étui, s'assied sur le lit, commence à pincer les cordes.

– Tu sais jouer aussi de la guitare ?

Il ne répond pas. Il fait entendre une note.

– C'est un *do*. Répète.

– C'est un *do*.

– Mais non ! (Filippo éclate de rire.) Répète la note. Avec ta voix. En chantant. Comme ça. (Il passe ses doigts sur les cordes et chante) : Dooo…

Je l'imite, même si j'ai honte.

– Tu as vu ? Bravo ! Et ça, c'est un *ré*. Réééé…

Je répète.

– C'est naturel pour toi. Tu as de la chance.

J'ai un grand sourire. C'est étrange de sentir qu'on a de la chance pour une chose qu'on peut faire même sans ses yeux. Et sans ses lunettes.

Papa passe sa tête dans la chambre et nous appelle. Les pizzas sont là. Filippo se précipite dans le couloir, je le suis en essayant de le dépasser. On se pousse et on se bouscule pour arriver le premier dans la cuisine.

À table, maman arrange mes couettes sur mes épaules.

– Où sont tes lunettes, Mafalda ?

Je me prépare à avouer qu'elles sont tombées, que je ne les ai même pas cherchées et que je les avais complètement oubliées, mais Filippo répond à ma place :

– On chantait. Elles ne servaient à rien.

Papa me sert une part de pizza avec saucisses de Francfort dans mon assiette.

– On ira quand même les chercher tout à l'heure, hein ? Je compte sur toi, dit-il.

Personne ne semble fâché. Moi, pour montrer que je suis bien élevée à la mère de Filippo, j'étale soigneusement la serviette en papier sur mes genoux et je commence à couper ma pizza.

– Tu veux une olive noire ? me demande Filippo. Je n'aime pas ça. J'en ai une par erreur.

Je ne dois même pas m'inquiéter de devoir la piquer avec ma fourchette sans lunettes, Filippo me la met directement dans la bouche. Il n'est peut-être pas très poli, mais il résout pas mal de problèmes, ce Filippo. Je repense au passage du *Baron perché*, où Cosimo est sur l'arbre avec la fille espagnole, et où tout lui semble beau et facile, pas comme avec l'autre fille, Viola, qui le rendait fou. C'est peut-être ça, la différence entre l'amitié et l'amour. L'amitié, c'est facile, alors que l'amour, ça te met beaucoup de confusion dans la tête, un peu comme le brouillard Stargardt dans les yeux.

Après les pizzas, les mamans enfilent leurs blousons et descendent à la pâtisserie Emanuela acheter des gâteaux. Papa reste s'occuper de nous. En fait, il regarde une émission de variétés à la télé.

Au bout d'un moment, Filippo veut sortir sur le balcon pour me montrer les géraniums desséchés en cette saison avec lesquels sa mère parle. Mais papa nous arrête.

— Mettez vos blousons avant de sortir !

Je prends ma doudoune et Filippo commence à mettre son blouson bleu habituel avec son nom dans le dos.

Papa l'arrête de nouveau.

— Mets-en un plus chaud, mon garçon. Il fait froid dehors.

Filippo ne dit rien. C'est à mon tour de répondre à sa place :

— Papa, tu sais qu'il n'y a pas longtemps c'était l'anniversaire de Filippo ?

— Ah bon ? Tous mes vœux avec retard, alors.

— Oui. Et je ne lui ai pas offert de cadeau, parce qu'il n'a pas fait de fête.

Filippo me donne un petit coup de pied dans les jambes, comme pour signifier : « Qu'est-ce que tu es donc en train d'inventer ? »

– Tu sais, ce blouson que tu gardes dans le coffre de ta voiture au cas où on t'enverrait livrer en montagne ? Celui que tu n'aimes plus.

Allons, papa, lis dans mes pensées ! Tu n'as pas compris ce que j'ai en tête ?

– Le vert et violet ?

– Oui, celui-là. Il irait peut-être à Filippo.

Mon père se tait pendant quelques secondes. Puis il s'exclame :

– Mais oui, c'est un beau cadeau d'anniversaire ! Ce n'est pas que je ne l'aime pas, tu sais, Filippo, mais je ne m'en sers presque jamais et ça fait un bout de temps que je voulais le donner. (Papa prend les clés de la voiture et ouvre la porte de l'appartement.) Je pensais l'offrir à mon neveu, mais tu es arrivé avant… Je descends le chercher.

Et il referme la porte derrière lui.

Filippo s'est peut-être vexé à cause de moi. Il me serre fort le poignet et m'entraîne dans une pièce qui doit être la salle de bains. C'est tout blanc, ça sent le citron. Je l'entends fouiller quelque part, puis il me glisse un petit flacon en verre dans la main.

– Qu'est-ce que c'est ?

– Sens !

Je mets le flacon sous mon nez. Il a le parfum de ces petites fleurs bleues… des myosotis ou des oreilles-de-souris, comme les appelait ma grand-mère. Il y en a plein dans le jardin de l'immeuble, au printemps. J'ai les yeux qui me piquent, je dois battre plusieurs fois

111

des cils, et je suis à peu près sûre que c'est à cause du parfum.

– Ça sent bon ! C'est ta mère qui l'a fait ?

– Oui. Je te le donne en échange du blouson.

Je reste un moment immobile à respirer la bonne odeur. Mes yeux se sont habitués.

– Ta mère ne va pas se fâcher ?

– Bien sûr que non. Elle en fait des milliers, tous différents, chaque mois. Elle ne s'en apercevra pas.

– OK. Merci. Écoute…

Il fallait que je lui demande.

– Tu veux être mon ami, non ?

– Et alors ? dit-il en refermant le tiroir des parfums.

– Pourquoi tu veux qu'on soit amis ?

Filippo bondit et m'asperge du parfum que je tiens à la main. Puis il s'enfuit dans sa chambre en hurlant :

– Comme ça, quand on sera grands, on fera un groupe ! Toi tu chantes et moi je joue !

Je cours derrière lui en riant et je trouve que c'est vraiment une bonne idée.

Je suis dans mon lit avec Ottimo Turcaret sur les pieds. Ce soir, il ne veut pas que je le caresse parce qu'il sent mon nouveau parfum qui n'est pas parti, même après ma douche. J'ai emprunté le smartphone de papa pour chercher sur Internet ce qu'il faut faire pour être chanteuse. La voix, au téléphone, dit qu'il faut passer au moins quinze fois en public, je n'ai pas compris où. Mon Dieu ! Comment je pourrais me déplacer autant ? Hier soir, j'ai écouté un passage du *Baron perché*, celui du singe qui est parti de Rome et qui est arrivé en Espagne en voyageant d'un arbre à l'autre. Mais je suis presque sûre que tous ces arbres ont été abattus, maintenant.

Le téléphone dit aussi qu'il faut avoir quelque chose de spécial, que les autres n'ont pas. L'idée du groupe de Filippo ne me paraît plus aussi bonne. Moi, tout ce que j'ai de spécial, c'est un chat gris et marron (je ne pense pas qu'il y en ait d'autres comme celui-là) et du brouillard dans les yeux. Je suis spéciale dans le mauvais sens. Je bats des cils et je jette mon cahier personnel par terre. Je le feuillette à genoux en arrachant presque les pages et j'écris à toute allure en appuyant fort :

Manger des olives noires parce que je ne pourrai même pas savoir si elles sont vraiment noires
Chanter dans un groupe

Je remonte dans mon lit et tire les couvertures au-dessus de ma tête. L'obscurité n'est pas une pièce sans porte et sans fenêtres. C'est un monstre qui mange toutes tes olives noires et tous tes rêves.

Cosimo, il neige, alors je me suis dit que je pourrais mourir de froid, dans le cerisier de l'école, l'hiver.
Et puis, je me suis rappelé que toi, tu as réussi à passer les hivers. Ensuite, pour mourir, tu t'es accroché à une

montgolfière qui passait au-dessus de ton arbre et tu t'es laissé tomber dans la mer. Comme ça, tu n'as jamais, jamais touché terre. Mais moi, je ne peux pas chasser des animaux à fourrure pour me fabriquer des couvertures, comme toi, il faut que je réfléchisse à ce que je pourrais faire si je sens que je risque de mourir de froid. Tu m'aides à trouver une idée ?

P.-S. : Remercie grand-mère pour la couverture. En attendant, je vais déjà l'apporter dans l'arbre.

14

Faire des signaux avec une lumière
pour dire bonne nuit
Compter toutes les étoiles de la nuit

Mon AESH s'appelle Fernando, il est jeune et très ennuyeux.

Il regarde toujours de petits livres écrits en chinois qui se lisent à l'envers et il passe son temps à envoyer des messages sur son portable. Il devrait vérifier que j'écris correctement dans mon cahier, que je ne me perds pas dans l'école et que je fais mes exercices en petits points braille mais, heureusement, il ne s'en occupe pas beaucoup et me laisse à peu près tranquille tout le temps. Il s'anime comme un robot uniquement quand un autre enseignant passe, alors il fait semblant de m'aider à écrire.

Il nous accompagne en classe de neige, lui aussi, mais il sera trop pris par Oscar, le garçon de CM2 qui est en fauteuil roulant, pour se rappeler que j'existe. Parfois, j'ai l'impression que personne n'est au courant de mon brouillard Stargardt, même si je sais que tout le monde le sait. Peut-être que les gens oublient, parce qu'il ne se voit pas, mon brouillard. Mes yeux sont normaux, si on les regarde de l'extérieur. C'est un peu comme être fou : un fou paraît normal du dehors mais, tout d'un coup, il se met à hurler, alors tout le monde se rappelle et dit : « Attention, il est fou. » La professeure de gymnastique a dit un jour en parlant de moi : « La pauvre, elle ne voit rien », et moi, j'ai eu envie de me mettre à hurler pour qu'elle me croie folle et qu'elle arrête de m'ébouriffer les cheveux.

Mes parents frappent contre la vitre du car où je suis assise (premier rang à côté de Fernando) et me saluent de la main comme si je partais pour un long voyage. Je leur fais signe, moi aussi, mais je me retourne aussitôt, les parents des autres ne sont pas collés au car et mes camarades, déjà tous pris par leurs tablettes, leurs casques, leurs portables, ne se donnent pas la peine de leur dire au revoir. Seul Filippo, qui a mis le blouson que papa lui a donné, n'arrive pas à rester tranquille. Il est assis au fond et continue à faire des blagues à ses copains. Je les entends crier :

– Arrête de tirer ma capuche ! Laisse-moi dormir !

Mais il est impossible de dormir parce que, dès qu'on part, la maîtresse prend le micro du car et commence à expliquer le programme des deux prochains jours. Pour la nuit, nous serons séparés, garçons et filles, dans deux chalets différents. Demain matin, nous irons visiter une ferme bio et l'après-midi, sport sur la neige. Ceux qui savent skier iront avec Fernando et la maîtresse qui m'avait dit : « la pauvre », les autres pourront faire de la luge. Moi, je savais skier quand j'étais en maternelle, c'est mon cousin Andrea qui m'avait appris, mais ensuite, papa et maman ont eu trop peur de me laisser descendre les pistes, parce que je ne voyais pas bien les bosses et que je tombais. Tant pis, je ferai de la luge, même si je n'ai plus essayé depuis que je porte mes nouvelles lunettes.

On est partis depuis une heure et demie.

Dans le car, c'est la plus grande confusion, Filippo et ses amis chantent des chansons cochonnes et n'écoutent pas les maîtresses qui essaient de les faire taire. Moi, ça me donne un peu envie de rire, je n'ai jamais entendu des chansons pareilles, et je n'ai jamais entendu un garçon chanter aussi bien, mais je ne sais pas si je dois le lui dire ou pas. Il y a des virages et j'entends que Bouboule se sent mal. Il a toujours mal au cœur en voiture, parce qu'il mange trop. Pendant cette heure et demie de voyage, je l'ai entendu ouvrir les sachets d'au moins trois brioches et il a déjà ouvert deux canettes de Fanta. J'ai entendu le *ksss*. Comme il est assis derrière nous, je le dis à Fernando, qui se retourne vers lui et demande aussitôt au chauffeur de s'arrêter.

Je reçois une boulette de papier sur la tête et je me

retourne : Filippo s'approche dans l'allée du car en ricanant à cause du pauvre Bouboule.

Je le regarde, furieuse.

— Tu ne sais pas qu'il ne faut pas se moquer de quelqu'un qui se sent mal ?

— Mais il a mangé comme un porc !

— Et alors ? Maintenant, il n'est pas bien, il ne faut pas se moquer. Ça te plairait, à toi, qu'on te traite comme ça ?

Filippo s'assied à la place de Fernando, qui est descendu sur la route avec Bouboule. Puis il se met à genoux sur le siège et demande à tout le monde de se taire.

— On arrête de rire, maintenant. Le premier que j'entends aura affaire à moi dès qu'on descendra.

Plus personne ne parle. Une maîtresse lui ordonne de retourner à sa place.

Filippo se penche vers moi et me dit rapidement à voix basse :

— Ce soir, quand on pourra choisir nos lits, prends-en un qui soit près de la fenêtre.

— Pourquoi ?

— Fais-le, c'est tout. Tu arriveras à rester réveillée jusqu'à minuit ?

— Bien sûr.

— Alors, tu regarderas dehors. Je te dirai bonsoir depuis notre chalet.

— Comment tu feras ?

— Je me montrerai.

– Mais moi…

– Tu me verras, t'inquiète pas. N'en parle à personne.

Et il file au fond du car, juste au moment où Fernando revient s'asseoir à côté de moi.

Nous sommes arrivés depuis deux heures, on a mangé de la viande en sauce avec de la polenta et, maintenant, on doit ranger nos affaires pour la nuit.

C'est une chance que je doive rester éveillée jusqu'à minuit, comme ça je pourrai observer les bagages des autres filles et regarder où elles mettent leurs affaires. Je pourrai peut-être prendre quelque chose ce soir. J'ai choisi le lit qui est sous la fenêtre. Il y a un peu d'air froid qui entre, mais ce n'est pas grave. De là, je vois dehors et je peux surveiller les lits et les sacs de couchage des autres. Clara est en train de gonfler son matelas à deux places, elle dormira dessus avec Martina, les maîtresses leur ont donné la permission. Toutes les autres sont autour d'elles, à leur faire des compliments sur la taille du matelas, et je sais bien qu'elles voudraient y dormir ou au moins l'essayer. Si on était restées les meilleures amies, c'est moi que Clara aurait choisie. Mais ce n'est pas essentiel. Si j'ai bien compris, une chose n'est essentielle que si elle te fait vivre, et je peux vivre sans être sur le matelas à deux places de Clara.

Ce n'est peut-être pas essentiel, mais ce serait bien pratique, là-haut, dans mon cerisier. En tout cas, je ne pourrai pas le prendre cette nuit, puisqu'elles dorment dessus ! Je devrai attendre demain, quand on rangera toutes nos affaires avant de repartir et qu'on descendra pour le petit déjeuner. Je pourrais faire semblant de me sentir mal et revenir dans le dortoir. Si Fernando ne me suit pas, tout ira bien : j'arriverai à prendre le matelas. Pour le cacher, j'ai gardé un compartiment vide dans mon gros sac, celui qui se ferme avec une fermeture éclair et qui reste écrasé sous les vêtements. Je sais déjà comment j'installerai mon nouveau lit dans l'arbre : c'est facile, je le gonflerai directement là-bas et je le poserai entre deux branches. Ce sera très confortable.

Maintenant, on doit se mettre en pyjama. Les maîtresses restent avec nous jusqu'à ce qu'on se couche, elles éteignent les lumières et nous préviennent qu'elles reviendront dans une petite heure, parce qu'elles ont des papiers à faire pour la visite de demain. Les élèves de ma classe et celles de CM2 attendent un peu de ne plus entendre les pas des maîtresses – même si moi, je les entends encore dans l'escalier qui descend au rez-de-chaussée –, puis elles se redressent toutes et se mettent à bavarder. Une des plus grandes se lève et va allumer la lumière.

Je m'assieds sur mon lit, moi aussi. Clara et Martina se sont mises à plat ventre pour écouter les chansons de *La Reine des neiges* sur un MP3, un écouteur chacune. Je le sais, parce qu'elles bougent la tête en cadence et qu'elles chantent faux à mi-voix. De l'étage du dessus de notre lit superposé, la main de mon amie sicilienne Francesca descend vers moi avec un paquet ouvert d'oursons en gélatine. J'en prends deux et les fourre dans ma bouche.

– *Mercchi.*

Moi aussi, j'ai envie d'écouter un peu de musique. Je fouille dans mon sac, sous le lit, mais je n'ai pas le temps de prendre mon MP3, parce que la fille qui a allumé la lumière arrive sur la pointe des pieds, pour ne pas se faire entendre des maîtresses, qui sont à l'étage du dessous, et s'assied sur mon lit.

– Salut. C'est toi, Mafalda ?

Je me pousse vers l'oreiller et entoure mes genoux de mes bras.

– Oui. Pourquoi ?

– Comme ça. Pour rien.

Elle est grande, elle a les cheveux châtains et un peu roux, tout ébouriffés, un pyjama qui n'est pas un pyjama, mais un tee-shirt avec une inscription dessus et un pantalon de jogging. Deux de ses amies la suivent et s'asseyent, l'une à côté d'elle, et l'autre par terre. Elles me regardent en souriant.

– C'est elle, la fameuse Mafalda ?

– Oui, répond l'autre, toute contente.

– Waouh ! Alors, c'est toi !

Je ne comprends pas.

– Pourquoi fameuse ?

Les filles de CM2 se regardent entre elles, toujours en souriant.

– On ne devrait pas te le dire, en fait…

– Mais on ne résiste pas !

– Qui lui dit ?

– Moi !

– Non, moi !

– À mon avis, c'est Emilia qui devrait lui en parler, c'est elle l'« ex », propose celle qui est assise par terre.

Je demande qui est Emilia.

La fille qui est arrivée la première me serre la main et me montre son tee-shirt.

– C'est moi, Emilia, l'ex de Filippo.

Tout d'un coup, tout se brouille dans ma tête et je me sens rougir. Mes lunettes se couvrent de buée, et il me faut un certain temps pour arriver à bien lire l'inscription sur le tee-shirt : c'est son prénom, Emilia. Il semble être imprimé comme celui qui est sur le blouson bleu de Filippo.

Les trois filles pouffent de rire. Heureusement que pendant ce temps-là, mes autres copines s'occupent de leurs affaires.

– Je m'appelle Mafalda.

C'est tout ce que j'arrive à dire. Mais elles le savent déjà.

Et bien sûr…

– On le sait ! ricane celle qui est assise sur le lit.

Je crois qu'elle habite à côté de chez moi. Elle s'appelle Giulia. Elle n'est pas méchante. C'est juste que je ne comprends pas ce qu'elles me veulent.

– On le sait, on le sait, dit Emilia, ton nom est partout dans le cahier de texte de Filippo : « Mafalda » par-ci, « Mafalda » par-là… il y a même un cœur sur le jour de ton anniversaire.

– C'est pas vrai.

– Si. C'est pas le 1ᵉʳ février, ton anniversaire ?

Bon sang, alors c'est vrai. Un cœur… Mais… ?

– Ne t'inquiète pas, je ne suis pas jalouse. (Emilia me donne une tape sur l'épaule.) On s'est quittés en octobre, ou plutôt, *je* l'ai quitté. Son père a recommencé à aller et venir, et il l'a mal supporté. Filippo était vraiment trop fou, il faisait n'importe quoi, et je l'ai laissé tomber.

– Ah.

– Il te plaît, à toi ?

Les trois filles viennent tout près de moi et je voudrais me jeter par la fenêtre tellement j'ai honte.

– Qui ? Filippo ? Alors là, vraiment pas du tout !

Les deux amies d'Emilia se mettent à sautiller et à taper des mains.

– J'ai bien l'impression qu'il lui plaît !

Emilia me prend une main.

– Mafalda, mais tu n'as pas vu comment il est ? C'est un voyou, il crie sans arrêt et, cette année, peut-être même qu'il va redoubler.

Moi, je regarde mes chaussettes.

– Je ne vois pas bien. J'ai seulement entendu dire qu'il était un peu fou.

– Un peu fou ? Depuis que ses parents ont divorcé,

il est complètement dingue ! Fais attention si vous vous mettez ensemble !

C'est donc vrai que ses parents ont divorcé. Mon troisième œil a fonctionné cette fois encore.

– Mais je ne veux pas me mettre avec lui. Qu'est-ce que ça veut dire, d'abord ?

– Que vous vous donnez des baisers, répond Giulia.

– Que quand vous serez grands, vous vous marierez et que vous aurez des enfants, poursuit l'autre.

Francesca, qui écoute tout du haut de son lit superposé, passe la tête en dessous et demande :

– Vous savez, vous, comment naissent les enfants ?

D'autres filles, intéressées par le sujet, lèvent la tête de leurs portables et de leurs tablettes pour écouter. Emilia répond pour tout le monde :

– Moi, je sais. Il faut avoir mal au ventre, et ça peut arriver, même à notre âge. Ensuite on vomit, l'enfant pousse dans le mal de ventre, et il sort au bout de neuf mois.

– Par où ? demande Clara.

– Par le nombril. Les médecins y font un trou et sortent l'enfant. D'après toi, pourquoi on aurait un nombril sinon ?

Elles poussent toutes de petits cris de dégoût.

– Mais comment il fait, l'enfant, pour entrer dans le ventre ? demande Martina, troublée.

Emilia répond calmement :

– Il faut un papa et il doit rester près de la maman, tout près d'elle.

Une fille de CM2, au bout de la pièce, intervient brusquement :

– Pas forcément ! Moi, j'ai une tante qui va avoir un enfant toute seule.

À ce moment-là, une maîtresse entre. Elle nous a entendues crier et vient nous dire de dormir immédiatement. Assez de bavardages pour ce soir !

On regagne nos lits. La maîtresse, pour plus de sécurité, reste dormir, elle aussi, et va se changer dans la salle de bains avec son *byuticaisse*. Les lumières s'éteignent. Avant d'enlever mes lunettes, je soulève le rideau de la fenêtre et je regarde dehors. Le ciel est très beau ici, tout noir et bleu foncé, plein de petits points blancs. Ça faisait si longtemps que je ne pouvais plus voir les étoiles. Peut-être que j'y arrive ici parce qu'on est plus haut qu'à la maison. Alors, du cerisier, qui est plus haut que l'école, je pourrai de nouveau les voir. Espérons ! Autrement, c'est la dernière fois que je vois les étoiles.

C'est dur de garder les yeux ouverts jusqu'à minuit ! J'ai une montre qui s'éclaire dans le noir. Elle était à ma grand-mère, et on me l'a donnée quand elle est allée vivre dans le tronc. Je l'approche de mon visage et j'appuie sur le petit bouton de la lumière pour savoir quelle heure il est : minuit moins le quart. Les autres maîtresses aussi sont revenues dans le dortoir et dorment parmi nous. L'une d'elles est allongée sur un matelas près de la porte et ronfle avec son nez. Ça donne envie de rire. Mes camarades et les filles de

CM2 sont complètement immobiles dans leurs lits. Tout est bleu foncé et, même si je suis dans une pièce avec beaucoup d'autres gens, j'ai l'impression d'être seule au monde. Je soulève le rideau de la fenêtre. Quand on est arrivés, il neigeait. Plus maintenant. Les prés autour des chalets et les collines sont bleu clair (la nuit, la neige est comme ça), et la lune est une très grande lanterne qui éclaire tout, même s'il n'y a presque rien à éclairer ici. Juste l'autre petite maison où les garçons dorment. Il y a une lumière à une fenêtre. Une lumière qui va et vient. Comme un signal. Comme les signaux de bonne nuit que j'échangeais avec grand-mère avant de dormir.

Je m'assieds aussitôt sur mon lit et je remonte mes lunettes sur mon nez. La lumière continue à s'allumer et à s'éteindre pendant un petit moment, puis disparaît. Il faut que je réponde. Quand quelqu'un te dit : « Bonne nuit », tu dois répondre : « Toi aussi », sinon tu es mal élevé. Mais je n'ai rien, pas de lampe de poche, rien qui fasse de la lumière… Si, la montre de grand-mère ! Je l'enlève de mon poignet et l'appuie contre la vitre en pressant plusieurs fois le bouton. J'espère qu'elle se voit depuis le dortoir des garçons. La lumière de tout à l'heure s'allume de nouveau et clignote très vite, comme si elle était devenue folle. Alors, ça se voit ! On continue à s'envoyer des signaux, mais la maîtresse qui ronfle gémit dans son sommeil, se retourne sur son matelas, et je prends peur. J'envoie un dernier signal, très long, pour dire :

«Maintenant, il faut dormir» et j'attends la réponse, qui arrive très vite, et qui est, elle aussi, très longue. Je m'allonge de nouveau dans mon lit, avec plein de petites étoiles dans les yeux. Je suis contente, finalement. Pourquoi, je ne sais pas exactement, mais je ne me sens plus seule au monde.

Ce matin, au petit déjeuner, Filippo me lance un petit «Ciao» depuis sa table, puis recommence aussitôt à s'éclabousser de café au lait avec ses copains.

– Je t'avais dit que tu lui plaisais, me chuchote Emilia en passant derrière moi.

– On s'est juste dit bonjour, et il ne m'a presque pas regardée.

– C'est toujours comme ça, avec les garçons. C'est un signal. Tu dois t'habituer aux signaux.

La visite de la ferme biologique est si ennuyeuse que même Filippo ne trouve pas de gag pour nous distraire, ni le moyen de déranger. Le seul avantage, c'est qu'ils nous font goûter du beurre de vraie vache, et qu'on mange tellement de tartines de confiture qu'on a l'impression d'éclater. Heureusement qu'après on nous emmène sur les pistes! Un petit groupe part avec Fernando, Emilia dans sa combinaison de ski rouge et Clara qui, avant de prendre le remonte-pente, montre à tout le monde, et même à moi, ses grosses lunettes de marque.

Moi, je monte en haut de la pente d'où partent les

luges. Je m'assieds par terre pour écrire dans la neige, je ne peux pas descendre aussi vite que les autres, parce que j'ai très peur d'aller m'écraser contre un arbre. On nous a donné des luges en forme de voitures et personne ne veut partager la sienne avec moi ; d'ailleurs, je ne sais pas si j'en ai vraiment envie. Ça doit être vraiment bizarre de foncer en luge quasiment sans rien voir.

Une maîtresse arrive et me propose de descendre avec elle. Je lui réponds que je préfère rester un moment assise, et elle repart bavarder avec les autres maîtresses pendant que mes camarades montent et descendent en criant comme des fous. Je me demande à quel moment j'ai intérêt à inventer que je me sens mal pour rentrer aux chalets et prendre les objets qui me servent. Mais je reçois une boule de neige sur l'épaule et je regarde autour de moi pour voir qui me l'a lancée. Un fou qui hurle plus fort que tous les autres court vers moi en tirant une luge rouge vif. Il porte un blouson d'homme et des lunettes toutes fines, entièrement recouvertes de flocons de neige. Son sourire est si grand qu'il ne tient pas dans sa figure.

Il se jette dans la neige à côté de moi et me demande pourquoi je ne fais pas une descente.

– Je n'ai pas envie.

– C'est pas vrai. C'est parce que tu ne vois pas bien et que tu as peur.

Je lui enfonce une poignée de neige dans le col de son anorak, même si ce qu'il a dit est vrai. Il pousse un cri, rit et se roule par terre. Je ne peux pas m'empêcher de rire, moi aussi. Puis, Filippo s'arrête et pince le pompon rouge et gris qui est à la pointe de mon bonnet. Trois garçons, qui ont remonté la pente, se mettent sur une même ligne pour faire un concours de vitesse. La maîtresse, sur le côté de la piste, donne le signal et les luges partent en crissant sur la neige glacée.

— Descends avec moi, je t'emmène.

J'hésite. Il vaut mieux pas, c'est risqué.

— Non. Tu vas trop vite, je le sais.

Filippo se lève et place la luge en haut de la piste. Il se tourne vers moi, les mains sur ses hanches. Je crois que c'est comme ça que je l'ai vu la première fois.

— Pourtant, moi, je t'ai promis de faire quelque chose de difficile.

Le piano. Les chansons modernes.

— Oui, c'est vrai. Et alors ?

— Maintenant, c'est à toi d'essayer quelque chose de difficile. Pourquoi seulement moi ?

Je voulais faire semblant de me sentir mal, mais maintenant, j'ai vraiment un peu mal au ventre. J'essaie de résister.

— Et qui a décidé ça ?

— Moi.

Filippo me vole mon bonnet en le tirant par le pompon et monte devant dans la luge. Je m'approche, résignée. Deux autres garçons arrivent avec leurs luges.

– On fait la course ? leur propose Filippo.

Ils acceptent aussitôt et se mettent à notre gauche.

– Monte, bon sang, qu'est-ce que tu attends ?

J'entre dans la petite voiture derrière Filippo et j'ai à peine le temps de reprendre mon bonnet qu'il s'envole de nouveau, parce qu'on dévale la pente à toute vitesse. Je m'agrippe de toutes mes forces à son dos et lui crie à l'oreille qu'il va trop vite. Il tourne légèrement la tête vers moi.

– C'est une course, tu veux qu'on aille doucement ?

– Mais comme ça, je ne vois rien !

– Moi non plus !

Filippo se tourne vers moi pour me montrer ses lunettes complètement recouvertes de neige. Je suis prise d'une peur panique.

– On va s'écraser !

– Peut-être !

Et il rit, il rit comme quelqu'un qui n'a pas de parents divorcés et qui s'amuse simplement sur la neige.

– Ferme les yeux ! C'est génial ! Si on dévie, je freine !

La descente est très longue. Autour de nous, il n'y a que la neige qui gicle et la forêt qui défile, verte et marron, sur le côté de la piste. On doit gagner la course, parce que je n'entends plus la luge des autres. Alors, je le fais, je ferme les yeux. Et sur mon visage, je sens le vent froid de la descente, j'ai les cheveux au vent et le cœur qui bat très vite. Mais c'est le mien ou celui de Filippo ? Je le sens dans son dos. Quelle importance ? Glisser comme ça, avec les cris lointains des autres et juste le bruit de la luge en dessous, c'est vraiment beau. Et étrange. Comme marcher les yeux bandés, en plus vertigineux. J'ai terriblement peur. Mais je voudrais que cette descente dure une heure entière, un jour, ou même toujours. Comme la musique de Filippo.

On entend plus fort les cris de ceux qui nous attendent à l'arrivée, maintenant. La descente n'est plus vraiment une descente et, au milieu des applaudissements, on va se planter dans un tas de neige fraîche. Tandis que les flocons légers tombent sur nous, on rit, on rit, on rit tellement qu'on ne peut plus respirer, et puis on se lève, on se prend par la main, on tourne et on saute en hurlant :

– On a gagné !

Quand nos adversaires arrivent eux aussi, je sens qu'il se passe un drôle de truc dans mon ventre et j'ai envie de vomir.

– Qu'est-ce que tu as ? Tu te sens mal ? me demande Filippo.

Je ne réponds pas. Je vais vers un buisson et je fais comme Bouboule hier.

Fernando, l'AESH, m'accompagne jusqu'au chalet où nous avons dormi.

La dame de l'hôtel me prépare un thé chaud pour me remettre l'estomac en place, dit-elle, puis on monte au premier étage et Fernando me laisse aller seule aux toilettes.

– Je t'attends en bas, dit-il en prenant dans sa poche un de ses petits livres chinois.

C'est le moment. J'entre dans le dortoir. Tous les lits ont été faits et, à côté de chacun, il y a le sac à dos de celle qui y a dormi. Dans un coin, je vois un truc roulé en boule, rouge et bleu : c'est le matelas de Clara. Je le prends, les mains un peu tremblantes, et le fourre dans mon sac en essayant de bien le cacher. Ici, je n'ai rien d'autre à prendre. Pendant quelques secondes, je me dis que ce serait pratique d'avoir une tablette dans mon arbre, mais ensuite, je me rappelle que je ne verrai rien, que je serai dans le noir. En plus, c'est trop cher pour le voler. Je n'en suis pas capable.

Je descends, mon sac en bandoulière. De toute façon, on doit bientôt repartir. Fernando est assis dans un petit fauteuil rouge, absorbé dans sa lecture. Je dois trouver le moyen d'entrer dans la chambre des garçons. La dame du thé m'arrête quand je passe devant le comptoir.

– Comment ça va ?

Je réponds :

– Comme ci comme ça.

Et ce n'est pas un mensonge.

– Tu n'étais pas bien tout à l'heure, je vais te donner quelque chose.

Elle se penche au-dessus du comptoir et me met dans la main une étrange fleur grise.

– Qu'est-ce que c'est ?

– Un edelweiss.

Je touche la fleur avec délicatesse, parce qu'elle semble si fragile qu'elle pourrait tomber en poussière en une seconde.

– Elle est toute poilue !

– Oui. Tu n'en avais jamais vu ?

– Non. Merci beaucoup. Elle est très belle.

Fernando s'approche pour regarder l'edelweiss, lui aussi.

– Intéressant, lâche-t-il.

C'est tout ce qu'il trouve à dire.

Et soudain, j'ai une idée.

– Fernando, tu m'aides à faire une chose ?

Il m'accompagne vers la porte.

– Hum. Je t'écoute.

Je le tire par son blouson et lui montre le chalet des garçons.

– Je voudrais faire une surprise à un type de l'autre classe.

– Un type ?

– Oui. Un garçon qui me plaît.

– Ah.

– Tu peux m'emmener dans leur chambre pour que je mette l'edelweiss sur son oreiller ?

Fernando soupire.

– D'accord, mais vite, alors !

La chambre des garçons a une odeur épouvantable. Fernando m'attend dans le couloir, il faut que je me dépêche. Je cherche un peu avant de trouver la boîte rose de Bouboule et je la mets aussitôt dans mon sac.

Fernando passe la tête dans le dortoir.

– Ça y est ?

Il m'a fait peur ! Heureusement que j'ai déjà caché la boîte. Je m'approche d'un lit qui est juste sous la fenêtre, celle qu'on voit du chalet des filles. Il y a une lampe de poche sur l'oreiller. Je pose l'edelweiss à côté, et je sors.

– Excuse-moi, Fernando. Je ne trouvais pas le bon lit.

– Ce n'est pas grave. Dans ce genre de choses, il vaut mieux ne pas se tromper de personne. Allons attendre le car.

Maman est en train de vider le sac que j'avais à la montagne, je vois un peu de lumière faible, très faible qui vient de la salle de bains.

Moi, je suis au lit, bien tranquille, parce que j'ai déjà enlevé la boîte rose et le petit matelas, que j'ai cachés dans l'armoire, derrière mes vêtements. On m'a permis de garder ma lampe allumée encore dix minutes. Mais je n'ai pas grand-chose à faire. Je prends mon cahier personnel, le crayon noir sur l'étagère et j'efface de ma liste : « Compter toutes les étoiles de la nuit ».

Je sais, Cosimo. J'ai pris des choses à mes camarades sans le leur dire, et je n'aurais pas dû. Mais toi aussi, tu aidais les brigands, tu te rappelles ? Tu savais qu'ils n'étaient pas méchants mais qu'à ce moment-là ils étaient obligés de ne pas très bien se conduire s'ils voulaient rapporter quelque chose à manger à leur famille. Ne le dis pas à grand-mère, s'il te plaît.

Je te promets que quand je serai grande, dans mon cerisier, et que j'aurai appris à fabriquer ce qu'il me faut, comme toi, je rendrai tout. Il faudra attendre un peu, mais un jour, je le ferai.

15

Aimer quelqu'un

Je vais avoir un enfant. J'en suis sûre, maintenant.
Depuis qu'on est revenus de la montagne, je repense
tout le temps à ce qu'a dit Emilia, cette grande fille
aux cheveux roux : pour avoir des enfants, il faut avoir
mal au ventre et ensuite, on vomit. Ça tourne sans
arrêt dans ma tête. Quand je caresse Ottimo Turcaret
derrière les oreilles, avant ou après mes devoirs, et en
ce moment, pendant que je vais à l'école.

Il faut avoir mal au ventre, et ensuite on vomit.
Moi, ça m'est arrivé sur la piste de luge. Je n'ai pas
compris s'il fallait vraiment un garçon mais, de toute
façon, je me suis serrée fort contre Filippo pendant
la course de vitesse. J'ai l'impression que c'est fait.
Qu'est-ce que je vais dire à maman ? Et Ottimo Turcaret, est-ce qu'il m'aimera encore ? Je vais devoir quitter

l'école, et comment je pourrai m'occuper d'un enfant si je suis complètement dans le noir ? Quand j'étais petite, j'imaginais que j'aurais six enfants, cinq filles et un garçon mais, après, le brouillard est arrivé et j'ai arrêté d'y penser. Je les perdrais dans mon brouillard, ou je les coifferais mal, et ils mourraient même de faim parce que je ne pourrais pas conduire de voiture pour aller faire les courses. Je pourrais commander une pizza pour le dîner. Mais ils deviendraient trop gros. Non, pas d'enfants pour moi. Seulement Ottimo Turcaret. Lui, il se débrouille tout seul pour manger, se laver et se coiffer.

Comment je vais faire, maintenant ? Il faut que j'en parle à quelqu'un. Estella. C'est la seule qui puisse m'aider. Dès que ça sonnera pour la récréation, j'irai la voir. En attendant, pour me distraire, je compte mes pas depuis le moment où je vois mon cerisier, tout marron et tout maigre, jusqu'au tronc. Un, deux, trois.

Quatre-vingts pas, ou peut-être soixante-dix-neuf. Quarante mètres. Peut-être trente-neuf.

Encore dix pas et je l'entends : le sifflement d'Estella. J'espère que je ne deviendrai pas sourde, aussi, parce que là, j'aurai vraiment des problèmes.

Je frappe deux ou trois fois à la porte de la loge. C'est la récréation et tous les élèves courent dans les couloirs en tenant à la main leurs goûters à moitié sortis de leurs emballages. Trois garçons de la classe de Filippo jouent à faire des paniers dans la corbeille avec des boulettes de papier d'aluminium comme ballon. Je voudrais jouer, moi aussi, mais j'ai des choses plus importantes en tête. Estella m'ouvre et je me glisse dans la pièce en laissant un peu du tapage de la récréation dehors.

Estella me lance un paquet de chips. Je lui demande :

– Tu n'en manges pas, toi ?

Elle s'assied sur la chaise à roulettes ou plutôt elle se laisse tomber dessus.

Elle appuie sa tête sur une main et son coude sur la table. Elle a l'air fatiguée. Son visage a la couleur des citrons à l'endroit où ils moisissent, une très belle couleur, en fait, même si ce n'est pas une chose à dire à quelqu'un.

Estella refuse les chips d'un geste de la main et approche un tabouret de sa chaise. J'aime bien être là, parce que tout est très près, quand on est à l'intérieur, et on voit bien. Je m'assieds sur le tabouret. C'est le moment de lui apprendre que je vais bientôt être mère.

Je fais un peu de bruit avec le sachet en plastique que je tiens à la main et, sans regarder nulle part, j'essaie d'aborder le sujet :

– Estella, est-ce que tu as un enfant ?

Elle lève la tête et me regarde en faisant tourner sa chaise. Elle a vraiment l'air fatiguée.

– Non. Je n'en ai jamais eu.

– Pourquoi ?

– Et toi, pourquoi es-tu si curieuse ?

Je suis tellement embarrassée que je me remplis la bouche de chips.

– Ben, parce que les enfants m'intéressent.

Estella ouvre les yeux si grands que même moi, j'arrive à voir tout, mais vraiment tout le blanc autour de ses pupilles.

– Les enfants t'intéressent ? Elle est bien bonne. Tu ne serais pas tombée amoureuse, Mafalda ?

Je la regarde derrière mes lunettes sans savoir quoi dire et je me sens rougir de la pointe des cheveux jusqu'à mes chaussettes. Comment a-t-elle pu deviner ? Je ne le savais pas moi-même, jusqu'à maintenant.

Estella rit, mais pas pour se moquer de moi, je le comprends tout de suite. Mon troisième œil me dit que c'est un bon rire, pour une bonne chose. Un peu comme une chance.

– Mafalda, enfin une bonne nouvelle ! Ça me fait vraiment plaisir. Je peux mourir tranquille, maintenant.

– Pourquoi une bonne nouvelle ? Et comment tu le sais ?

Elle se met juste en face de moi dans son fauteuil et me prend par les épaules. Son nez est aussi maigre qu'une brindille de cerisier et son rouge à lèvres fuchsia est un peu décoloré.

– Je le sais, c'est tout. Il était temps que ça t'arrive. L'amour est toujours une bonne nouvelle, Mafalda, souviens-t'en. Tout le monde tombe amoureux. Les enfants…

Par la fenêtre, j'entends la voix de Bouboule qui demande un morceau de petit pain à quelqu'un.

– Même les enfants qui sont gros ?

– Bien sûr, même les enfants qui sont gros. Tout le monde tombe amoureux, les vieux, les gens qui habitent loin, les méchants…

– Même les méchants ? Comme Dracula ?

– Oui. Il avait une femme, lui aussi. C'est bizarre, mais c'est vrai. Et c'est bien, tu sais ? Parce que comme ça, nous sommes tous égaux. Avec l'amour, les pauvres deviennent riches, et les riches sont plus contents.

– Parce que c'est une chose essentielle ?

– Oui, pour énormément de gens.

– Et pour toi ?

Elle me lâche les épaules et soupire.

– Ça l'était. En Roumanie, j'avais un mari. Mais il y a très longtemps qu'on ne s'est plus dit qu'on s'aime.

– C'est pour ça que vous n'avez pas d'enfant ?

– Je pense, oui. Si tu ne dis pas à l'autre personne que tu l'aimes, et si elle ne te le dit pas, il vaut mieux qu'il n'y ait pas d'enfant.

Je crois que j'ai compris. La règle est que si je ne dis pas à Filippo que je suis tombée amoureuse de lui, je n'aurai pas d'enfant. Très bien. Il suffit de se taire. C'est toujours très utile de parler avec Estella. Elle sait comment vont les choses et elle me dit la vérité sur tout. Maintenant, elle appuie sur un bouton rouge à côté de la porte et la sonnerie retentit dans toute l'école. Je sors dans le couloir et je cours presque jusqu'à ma classe. Parce que quand tu es amoureux, ce n'est pas que tu vois mieux, mais tu as moins peur de te cogner partout.

Je viens de rentrer de l'école.

Je jette mon sac à dos par terre près de la porte et je cours dans ma chambre ou au moins j'essaie d'y arriver le plus vite possible sans me cogner.

Je prends mon cahier personnel, je vais à la deuxième page. Si j'ai bien compris, pour avoir un enfant, je dois dire à son papa que je l'aime. Mais moi, je ne peux pas avoir d'enfant parce que, dans le noir, on ne peut pas lui donner son biberon, changer sa couche et faire tout ce qu'il faut pour un bébé. Il suffira donc que je ne dise jamais à personne que je l'aime. Je prends mon crayon noir et j'efface : « Aimer quelqu'un ».

Cinquième partie

Trente mètres

16

Elle me trouvera, de toute façon

– Bon anniversaireee… nos vœux les plus sincères… Bon anniversaire, Mafaldaaa!

Maman arrive dans le salon plongé dans le noir en portant un gâteau à la crème plein de petites bougies qui éclairent son visage et son sourire. On dirait presque qu'il n'y a qu'elle dans la pièce et que, derrière le divan, un chœur est caché qui chante : « Bon anniversaire! » C'est l'impression que j'ai, en tout cas. Je suis assise en tailleur, près de la table basse et, autour de moi, sur le divan et par terre, il y a mon oncle, ma tante, Andrea, Ravina, papa et Filippo. Clara ne pouvait pas venir, a dit sa maman. C'est un mensonge, mais ça m'est égal, je l'avais invitée uniquement parce que mes parents avaient insisté. Ils regrettent qu'on ne soit plus amies. Ils n'ont pas compris qu'en grandissant les amis peuvent changer ? Et qu'il vaut mieux garder ceux qui ne disent pas de mensonges ? Ottimo Turcaret s'est caché sous la petite table en pensant y être en sécurité, il n'est pas habitué à voir autant de monde. Mais maman pose le gâteau juste au-dessus de sa cachette et il s'échappe aussitôt, apeuré aussi parce que tous chantent très fort.

– Bon anniversaireeee !

Je gonfle mes joues comme des montgolfières et je souffle si fort qu'un peu de crème chantilly s'envole sur le tapis. D'habitude, j'arrive à éteindre toutes les bougies en une seule fois, mais pas cette année, il y en a une qui reste allumée, et je dois reprendre mon souffle pour qu'il fasse complètement nuit. Tout le monde applaudit, puis me crie de faire un vœu. La fumée des bougies m'entre dans les yeux. Je les ferme en pensant à mon vœu mais, tout d'un coup, j'ai peur. J'ouvre tout doucement les yeux : il fait toujours noir. Je les referme, je compte jusqu'à dix, tandis que les autres continuent à me demander ce que je désire. J'essaie de soulever un peu une paupière. Voilà, quelqu'un a allumé la lumière et j'arrive à voir plus ou moins tout le monde, le gâteau à la crème aussi, et les guirlandes de petits ballons que papa a accrochées entre le lustre vénitien et les murs (on dirait vraiment des cerises sur une branche). Il n'aurait plus manqué que je reste dans le noir justement aujourd'hui, pour l'anniversaire de mes dix ans.

Heureusement, maman a déjà commencé à découper

le gâteau, et plus personne ne fait attention à mon vœu. Filippo vient manger sa part à côté de moi, à la petite table. Il prend sa fourchette mais s'en met quand même plein la figure, parce qu'il mange trop vite. Ma tante le regarde, l'air inquiète et un peu dégoûtée. Il se tourne vers elle et lui montre le gâteau avec sa fourchette pleine de crème et de miettes.

– Déliffieux !

Ma tante a toujours le même air inquiet, mais elle répond :

– Merci, mon cher.

Parce que c'est elle qui a fait le gâteau.

Moi, je ris dans ma barbe, comme Ottimo Turcaret dans ses moustaches quand Estella ne s'aperçoit pas qu'il a fait ses besoins dans le jardin de l'école.

Le téléphone fixe sonne. Au milieu du brouhaha, je suis la seule à entendre la première sonnerie, j'ai même l'impression de sentir un petit souffle d'air sur mon visage après ce son si clair, si éclatant, puis papa l'entend à son tour et va répondre dans la pièce voisine, avec l'appareil sans fil. Il revient au bout de très peu de temps et m'appelle.

– C'est pour toi.

Je le suis dans la cuisine et m'assieds à table. Papa me passe le téléphone, je reste seule avec maman qui est en train de remplir le lave-vaisselle.

– Allô ?

– Bon anniversaire pour tes dix ans, petite *prrincesse* !

147

Mais qui ?...

– Je suis la reine d'Amazonie, ça te dit quelque chose ?

C'est une toute petite voix. Rien à voir avec la belle voix puissante qui me crie de rentrer en classe ou de me débrouiller toute seule, j'ai failli ne pas la reconnaître.

– Estella ! Mais où es-tu ?

– Je suis à l'hôpital.

– Pour quoi faire ?

Elle ne répond pas tout de suite. Puis :

– Je suis allée voir une amie.

– Elle est malade ?

– Non. Pas elle. Disons qu'elle travaille ici.

Peut-être que cette amie qui travaille à l'hôpital, c'est la docteure Olga ! Mais au moment où je veux le lui demander, Estella recommence à parler :

– Alors, c'est une belle fête ?

– Oui. Je regrette que tu ne sois pas là.

– Moi aussi. C'est bien, les fêtes. Essaye de beaucoup t'amuser. Vraiment beaucoup. Demain, à l'école, tu trouveras mon cadeau.

– Comment ça, je trouverai ? Tu ne seras pas là ?

– Pas demain, non. Cette amie reste là pendant un moment, et je dois m'occuper d'elle.

– Tu me la présenteras ?

– Il vaut mieux pas. Non, je ne te la ferai *yamais, yamais, yamais, yamais* connaître, Mafalda. Je suis un peu jalouse.

– Alors, au revoir.

– Au revoir. N'oublie pas le cadeau, je le mettrai dans la loge, dans le tiroir des chips.

– D'accord. Bonjour à ton amie.

Estella reste encore un long moment en silence. Puis, avec une voix très bizarre, elle me dit :

– Tous mes vœux, Mafalda, petite princesse.

Et elle raccroche.

J'ai de la buée sur mes lunettes. Tout d'un coup, je me demande : ce ne serait pas Estella qui m'aurait laissé ce message sur ma table à l'école, il y a déjà un certain temps ?

– Tu viens ouvrir tes cadeaux ? Tiens, ouvre d'abord le mien !

Filippo entre en courant dans la cuisine et ne freine pas à temps. Il me renverse avec la chaise et son cadeau, et on tombe presque dans le lave-vaisselle. Maman nous enjambe avec ses talons hauts (elle les a mis aujourd'hui, bien que ce ne soit pas un jour à talons hauts), prend la salade de fruits dans le frigo et le referme.

– Oui, il vaudrait peut-être mieux que tu ailles ouvrir tes cadeaux là-bas, Mafalda. Dans une demi-heure, le père de Filippo vient le chercher.

J'espère un instant que dans la boîte de Filippo il y a un tee-shirt avec mon nom dessus, comme celui qu'il a offert à Emilia. Mais ce que je trouve à l'intérieur est beaucoup mieux. Je ne comprends pas tout de suite ce que c'est. On dirait une sorte de stéréo miniature.

Je fouille dans le polystyrène : il y a un micro aussi. Un vrai, pas en plastique comme dans les jeux pour enfants.

– C'est un karaoké, mais spécial.

Filippo prend la boîte et passe entre les invités pour aller jusqu'à la télé. Je le regarde appuyer sur plusieurs touches et brancher le fil du micro quelque part derrière l'écran. Avec la télécommande du karaoké, il installe le programme et m'explique :

– Il y a d'abord une chanson chantée par quelqu'un, comme ça, tu l'écoutes et tu l'apprends. Ensuite, il n'y a plus que la musique et tu peux chanter toute seule. Si tu ne te souviens pas des paroles, tu reviens en arrière et tu réécoutes.

Une chanson sort de la télé. Je l'ai déjà entendue quelquefois à la radio, dans la voiture de maman. Andrea se lève du divan et prend le micro à la main.

– *Il y avait un garçon… qui comme moi… aimait les bitols et les rollingnestone…*

Il chante plutôt mal pour un prof de musique. Mais les autres n'y font pas attention et chantent avec lui. Je m'approche de Filippo et je lui dis à l'oreille, un peu en criant pour couvrir les voix des autres, et un peu en chuchotant pour qu'on ne m'entende pas :

– Merci. C'est super.

Dommage que je ne puisse pas m'en servir souvent, de ce beau cadeau. Je me demande si je dois parler à Filippo de mon plan d'aller vivre dans le cerisier. Il fouille dans le sac en plastique qui contenait le karaoké.

– Il y a une carte aussi, dit-il en me donnant une enveloppe bleue.

Je la prends sans rien dire. Je regarde autour de moi, personne ne s'occupe de nous, je peux donc entraîner Filippo dans le couloir.

– Ta carte, je la lirai ce soir, d'accord ?

Il met ses mains sur ses hanches.

– Et pourquoi pas maintenant ?

Je tourne et retourne l'enveloppe dans mes mains.

– Parce que je ne peux pas la lire.

– Prends ta loupe !

Je hausse les sourcils jusqu'au front, et même jusqu'aux cheveux.

– Comment tu sais que j'ai une loupe ?

– Je t'ai vue la mettre dans ta poche, un jour. Allez, prends-la ! Pourquoi tu l'as sur toi si tu ne t'en sers pas ?

– J'ai honte. Je ne me sers jamais de ma loupe devant quelqu'un.

Filippo ne bouge pas et ne dit rien. À la fin, je me rends.

– D'accord. Mais on va dans ma chambre.

On file dans le couloir jusqu'à ma chambre. Ottimo Turcaret est sur mon lit, et il fait simplement « miaou » quand Filippo le prend sur ses genoux en le tirant par les pattes de devant. Je m'assieds sur le lit, j'ouvre l'enveloppe. À l'intérieur, il y a une feuille de papier pliée en deux avec des signes noirs dessus.

– J'ai écrit avec un gros feutre, dit-il fièrement.

Je sors ma loupe de *Cherlocolme* de ma poche. Je l'approche d'un œil et place le papier derrière le verre.

TOUS NOS VŒUX
POUR TON PREMIER ANNIVERSAIRE
À DEUX CHIFFRES !
BISOUS DE
FILIPPO, CRISTINA ET MARCO

– Marco, c'est ton papa ?

– Oui.

On reste un moment tranquilles sur mon lit. Ottimo Turcaret se laisse caresser derrière les oreilles et je le regarde, mais sans vraiment le voir. Je réfléchis.

– Tu es chez lui, cette semaine ?

C'est la première fois qu'on en parle.

– Seulement hier, c'est-à-dire samedi, et aujourd'hui.

– Tu n'es pas content de le voir ?

Filippo hausse les épaules et caresse Ottimo Turcaret.

– Non. C'est de sa faute aussi, si je suis devenu fou.

– Qui t'a dit ça ?

– Les psychologues. Celui de l'école, surtout. Il dit que je n'arrive pas à faire attention et que je me mets trop facilement en colère depuis que mes parents ont divorcé.

– Mais tu ne le fais pas exprès.

Il me semble qu'il y a de la buée sur les lunettes de

Filippo, et je passe mon bras autour de ses épaules. Il ne bouge pas, mais il se met à pleurer, avec des sanglots qui secouent tout son corps, son dos, ses jambes et même ses pieds. Ottimo Turcaret descend de ses genoux à cause des secousses et saute sur la chaise, puis sur mon bureau. La seule chose avec laquelle Filippo ne pleure pas, c'est sa voix. On reste donc en silence dans ma chambre, jusqu'à ce que les grandes personnes nous appellent et gâchent tout, comme d'habitude, même les pleurs qui ne font pas de bruit.

– Mafalda, éteins la lumière !

Je suis allongée sur mon lit, en pyjama, avec Ottimo Turcaret sur le ventre. J'ai les yeux fermés, pour une fois. Je ne ferme jamais les yeux, sauf quand je marche dans la cour avec un foulard noué autour de la tête. Je veux les garder grands ouverts jusqu'au plafond pour qu'une montagne de lumière entre à l'intérieur et que j'en aie suffisamment pour toute la vie.

Tout à l'heure, quand ils sont tous partis, papa a décroché les guirlandes de petits ballons et je lui ai demandé si je pouvais en garder une. Je l'ai mise sous mon lit ; elle me servira de montgolfière pour m'envoler du cerisier au cas où je ne pourrais plus y rester, à cause du froid, par exemple, ou quand je serai vieille.

Ce soir, je dois reposer mes yeux. Je ne suis pas fatiguée, je le jure, mais eux si. Je tends la main derrière moi, vers le bouton pour éteindre la lumière. Maman entre dans ma chambre, et je soulève un peu une paupière pour voir comment c'est, une maman dans le noir. D'abord, je sens son parfum de sorbet à la menthe. Puis je vois l'ombre de ses cheveux longs, sans visage et avec des vêtements noirs pleins de nuit, une ombre un peu plus sombre que ma chambre sans lumière. C'est étrange, je croyais que dans le noir, tout était noir et c'est tout. Mais les mamans arrivent à se faire voir dans le noir le plus noir. Elles voient peut-être dans le noir, comme les chats. Pour trouver leurs enfants en danger. Si c'est comme ça, alors peut-être que moi aussi, je pourrai devenir mère. Je me redresse un peu et m'appuie sur les coudes.

– Maman, tu arrives à me trouver même dans le noir ?

Elle s'assied à côté de moi et me caresse les cheveux.

– Je ne peux pas te voir dans l'obscurité, Mafalda, mais je suis sûre que j'arriverais à te trouver quand même. Et maintenant, éteins, il est vraiment tard.

Maman se penche sur moi et m'embrasse pour me souhaiter bonne nuit. Ses cheveux retombent doucement sur l'oreiller comme des flots de barbe à papa, mais noirs. Je passe mes doigts dedans jusqu'à ce qu'elle s'en aille. Ils sont doux.

Je n'ai pas dit à maman que le noir de tout à l'heure, c'était le mien. Elle me trouvera, de toute façon.

Ce soir, je n'ai pas envie de parler avec toi, Cosimo, et avec grand-mère non plus.

Vous deux, vous restez ensemble tranquillement, vous

passez d'une branche à l'autre avec des cordes, vous lisez des livres, et vous ne vous êtes sûrement pas aperçus qu'il ne me reste que soixante pas pour arriver jusqu'au cerisier. Compris, Cosimo? Trente mètres. Ce n'est pas beaucoup.

Un jour, ton frère a parlé de toi à un vieux savant français et lui a expliqué que tu restais dans les arbres parce que pour bien voir la terre, il faut être à la bonne hauteur. C'est ce que tu croyais, en tout cas. Mais moi, à quelle distance je dois me mettre pour arriver à bien voir mon arbre?

17

Faire un concours de paniers avec des boulettes en papier

La docteure Olga a les yeux verts, je m'en souviens. J'essaie de vérifier si c'est vrai, mais ce petit nuage gris devant son visage ne bouge pas. C'est pour ça que je suis de nouveau ici, toujours avec papa et maman assis, l'un à ma droite, l'autre à ma gauche, sur les mêmes chaises inconfortables que la dernière fois.

La docteure Olga me met entre les mains un petit bâton long et lisse. Je le touche jusqu'en haut et je sens avec mes doigts que c'est la même gomme-dinosaure que d'habitude.

– Je n'en ai pas trouvé avec des dieux égyptiens, je suis désolée.

Tant pis. Je n'aime pas beaucoup les gommes. Elles ne sont pas essentielles. Mais je remercie quand même par politesse et je garde le crayon à la main, comme s'il me plaisait beaucoup. La docteure Olga a un petit bloc tout blanc sur son bureau, et je sais qu'elle laisse les enfants dessiner dessus. Il est juste devant moi, je commence donc à gribouiller. Pendant ce temps, les grands parlent et je fais semblant de ne pas écouter. Il y a tellement de choses pour lesquelles on doit faire semblant, après un anniversaire à deux chiffres : faire comme si la lumière était allumée, comme si on ne pleurait pas, on n'écoutait pas… Et puis, quand je serai grande, il faudra que je fasse semblant de ne pas parler d'une personne qui est justement là, comme mes parents sont en train de faire en ce moment.

– Comment la trouvez-vous, docteure ?

– Pas trop mal.

Une autre chose à faire quand on est grand, c'est toujours commencer les phrases par « Pas » pour dire tout le contraire. À mon avis, par exemple, « pas trop mal » veut justement dire « très mal ». C'est comme la maîtresse, quand elle va chez le coiffeur avant de venir à l'école et qu'elle nous demande comment on la trouve. Je suis sûre que presque tous les garçons pensent « mal coiffée », mais ils disent « Pas mal, maîtresse », pour lui faire plaisir et ne pas être interrogés.

La docteure Olga continue :

– Vous avez déjà commencé à l'initier à la lecture en braille ?

Papa répond que oui, que je m'exerce.

– Et pas qu'un peu.

Voilà un autre « pas » qui signifie le contraire. La

157

seule chose que j'ai lue en petits points braille, c'est *Le Petit Prince*. Mais c'était très beau.

Maman a des larmes plein la voix.

— Docteure, il n'y aurait pas un instrument qui lui faciliterait un peu les choses ?

— Il existe des lunettes avec caméra qui projettent les images captées à l'extérieur sur les zones qui ne sont pas encore endommagées…

D'autres lunettes ? J'espère que non. Elles ont l'air très compliquées et je suis sûre qu'elles font mal.

— … mais dans l'état actuel des choses, elles n'apporteraient aucune amélioration. Il vaut mieux ne pas la fatiguer davantage.

Danger évité. Ces lunettes doivent être affreuses et je parie qu'on m'aurait mis la caméra sur la tête. Tout le monde se serait moqué de moi à l'école.

Après un petit silence, la docteure me fait sursauter sur ma chaise en disant :

— Quel beau dessin, Mafalda ! On dirait le ciel étoilé de *Vangog* !

Je regarde la feuille de papier où je suis à peu près sûre de n'avoir fait que des cercles, beaucoup de cercles gris. Ce *Vangog*-là aussi, il doit avoir le brouillard, s'il dessine comme moi.

Cette visite chez la docteure Olga n'a pas été complètement inutile parce que, maintenant, je sais comment utiliser le crayon avec le dinosaure qu'elle m'a offert hier.

Ma classe est très silencieuse, on a un contrôle de géométrie, c'est difficile. Je l'ai fait avec des figures en plastique qu'on peut toucher, Fernando m'a mis 9,5 et maintenant, il lit son petit livre chinois à une table libre, au fond de la classe. Il me met presque toujours 9,5.

– Tu mériterais 10 pour ton application et le sérieux de ton travail, mais je préfère te donner un demi-point en moins, parce que sinon, c'est trop, dit-il.

Je me retourne lentement. Kevin est très concentré sur les axes de symétrie, il n'y a jamais rien compris.

– *Psst.*

Kevin lève la tête de sa copie, mais la baisse aussitôt.

Il faudrait que la maîtresse aille boire un café. Comme j'ai fini mon contrôle, je lui propose d'aller lui en chercher un, pour lui donner envie.

– Maîtresse, dis-je à voix basse en me penchant vers l'estrade, est-ce que je peux aller te chercher ton café, aujourd'hui ?

Elle range aussitôt son portable avec lequel elle joue (il fait *ding!* chaque fois qu'il y a un point mais tout doucement, je suis la seule de la classe à l'entendre). Elle me répond non.

– J'y vais moi-même. Toi, écris sur ce papier le nom de ceux qui parlent.

Elle pose une feuille sur ma table, prend son sac et sort. Parfait. Maintenant, je peux réessayer. Kevin, complètement affalé d'un côté de la table, tapote avec son crayon noir et blanc sur le bord. Il a vraiment du mal avec ces axes de symétrie. J'essaie d'apercevoir Fernando, là-bas, près de l'armoire. Il ne faut pas qu'il me voie. Apparemment, il se tient tranquille. Je pose un coude sur la table de Kevin et chuchote :

– Écoute, ça t'intéresse un dinosaure ?

Je sais qu'il aime bien ce genre de choses : les serpents, les reptiles, les trucs verts, genre dinosaures. Il se redresse aussitôt et répond oui.

– Alors, on fait un échange. (Je couvre ma bouche avec ma main.) Tu vois ce crayon ?

Je sors de la poche de mon tablier le crayon avec la gomme-dinosaure.

– Super ! murmure-t-il.

Fernando dit : « Chut ! » mais reste plongé dans son livre.

Je pose le crayon devant la copie de Kevin.

– Je te le donne si tu m'apportes une chose.

– Quoi ?

– J'aime beaucoup ton imperméable en forme de poncho, celui que tu mets quand on fait une sortie. On échange ?

Kevin n'hésite pas une seconde.

– Sûrement pas. J'irai me l'acheter à la papeterie, ton crayon.

Oh, non ! Ça n'a pas marché. Mes lunettes deviennent toutes nuageuses.

– Il ne se vend pas en papeterie, tu sais. Je suis la seule à en avoir un comme ça. Si tu le veux, tu dois me donner ton poncho.

– Alors tu me donnes le crayon et ta loupe de détective.

– Ma loupe ?

J'hésite, je n'ai pas beaucoup de temps pour réfléchir. De toute façon, maintenant, elle ne me sert presque plus. Je la sors aussi de ma poche et je la donne à Kevin, qui cache tout sous sa table. Puis il lève l'étui devant mon visage. Je lui demande :

– Tu me l'apportes demain ?

– Tu peux toujours attendre ! répond-il, juste au moment où la maîtresse entre dans la classe avec son café.

D'habitude, j'aime bien l'odeur du café qui sort de la machine mais, aujourd'hui, elle me pique le nez et fait même couler une larme au coin de mon œil droit, comme quand on a sommeil et que les cils se mouillent. Sauf qu'en ce moment, mon sommeil, c'est une terrible colère. Je me fiche soudain du crayon et du poncho, je n'ai plus qu'une envie : fermer les yeux et tracer une énorme croix sur tout le monde, en dehors d'Estella et d'Ottimo Turcaret, et sur toutes les choses, en dehors de mon arbre.

Mon arbre.

Parfois, je pense à comment ce sera de vivre là-haut, je m'imagine une espèce de petite maison tout en feuilles, près des nids des oiseaux. Il y en a tellement, sur le cerisier ! Et puis, quand je me sentirai seule, je frapperai sur le tronc et la voix de ma grand-mère me demandera :

– Qui est-ce ?

Je répondrai :

– C'est Mafalda.

Alors, le cerisier, c'est-à-dire le géant, secouera la tête pour faire tomber un peu de fleurs roses et blanches autour de nous et, avec ma grand-mère, on jouera à donner une forme aux nuages.

Mais pour y arriver, j'ai besoin de ma loupe de *Cherlocolme*. Ça me fait drôle de ne plus l'avoir, et puis c'était un cadeau de papa. Je ne peux pas aller vivre dans l'arbre sans un souvenir de papa. La sonnerie de la récréation retentit, et la maîtresse nous fait tous sortir dans le couloir pour le goûter. Kevin jaillit comme une flèche, puis va se cacher dans les toilettes. Je m'appuie contre le mur, près de la porte de ma classe, les bras croisés, et je me laisse glisser par terre. Je l'ai vu faire dans un film. Soudain, je me dis que ça fait très longtemps que je n'ai pas regardé de film, que je ne pourrai sans doute plus en voir avant d'être complètement dans le noir. Et après non plus. Pourquoi ? Pourquoi ça m'arrive à moi ? Je cache ma tête entre mes genoux et je pleure.

– Pourquoi tu pleures ?

Des miettes de brioche à la cerise me tombent sur les mains. Je lève la tête. Une paire de chaussures de tennis noires et deux jambes dans un jean. Ça pourrait être n'importe qui, mais je connais cette voix.

Filippo s'assied par terre à côté de moi et m'écoute

pendant que je lui raconte ce qui s'est passé avec Kevin. Si je parle trop, il arrête de m'écouter, je l'ai compris assez vite, alors j'essaie toujours de lui faire un résumé. Il se lève d'un bond avant même que j'aie fini la dernière phrase. Il jette le papier de sa brioche dans une corbeille assez loin, je crois, se félicite tout seul d'avoir fait un panier et s'approche de la porte de ma classe.

Je me lève, moi aussi, et je lui serre fort la main qu'il a déjà sur la poignée, parce qu'il est interdit d'entrer seuls en classe pendant la récréation.

– Qu'est-ce que tu veux faire ?

Il me repousse doucement, mais avec fermeté.

– Je vais t'aider à reprendre tes affaires, dit-il. Reste ici et préviens-moi si quelqu'un arrive.

J'essaie de l'arrêter, parce que j'ai peur de ne pas voir à temps qui arrive et qu'on nous surprenne, mais Filippo file à l'intérieur à la vitesse de la lumière et commence à fouiller dans tous les sacs à dos. Moi, je suis à moitié dans la classe, à moitié dans le couloir, et tellement nerveuse que je sens trembler mon estomac. Je lui crie :

– Sous la table ! Regarde derrière la mienne, en dessous !

Je n'ai pas besoin de lui expliquer où est ma table, je le vois aller là où il faut. Une main se pose sur mon épaule.

– Qu'est-ce qui se passe ?

Une des vieilles maîtresses, que je ne connais pas bien, s'est arrêtée derrière moi et regarde dans ma classe. Je suis paralysée de peur. Quelqu'un d'autre s'approche pour voir la scène.

– Qu'est-ce que tu fais ? demande la maîtresse à Filippo.

Filippo reste accroupi, caché entre les tables, mais on a été vus, maintenant.

Quelqu'un pousse un cri derrière la maîtresse :

– C'est à moi ! On vole mes affaires !

Kevin me pousse de côté, court vers sa table, bouscule Filippo pour reprendre mon crayon et ma loupe. Mais Filippo ne cède pas.

– C'est pas à toi. Tu lui as pris, c'est à elle !

– Elle me l'a donné ! C'est à moi, maintenant !

– Tu l'as escroquée !

Tandis qu'ils crient, se tirent par leurs vêtements et se battent un peu, la directrice adjointe de l'école arrive, les sépare et demande qui est responsable de toute cette agitation. Kevin crie tout de suite que c'est Filippo qui a commencé, qu'il était en train de le voler. Alors, je me mets à hurler moi aussi que c'étaient mes affaires à moi.

– C'est toi qui me les as données, idiote !

Sans comprendre comment ni avec quel courage, je me lance alors vers la voix stupide de Kevin et je me retrouve sans lunettes en train de donner des coups de poing. Il y en a qui frappent l'air, d'autres quelque chose de mou, et j'espère que c'est le visage de Kevin. On peut se battre sans voir, il ne faut pas que j'oublie de l'écrire dans ma nouvelle liste.

Les petites chaises qui sont près du secrétariat dans le couloir sont inconfortables, comme celles de la docteure Olga sauf que, cette fois, je ne suis pas accompagnée par mes parents mais par Filippo, qui a lui aussi un mot à faire signer au directeur et aux parents.

C'est la première fois que je dois aller chez le directeur. Et que je vole. Cette année, j'ai fait beaucoup de choses que j'avais juré de ne jamais faire, au catéchisme. Mais j'ai été obligée, je ne voulais pas me conduire aussi mal. Je ne voulais pas m'enfuir de la maison, je ne voulais sûrement pas frapper Kevin. Enfin si, Kevin, peut-être que je voulais vraiment le frapper, parce qu'il m'a arnaquée et que je déteste qu'on ne me dise pas la vérité.

– Je sais que tu n'aimes pas les mensonges, mais je vais bientôt devoir en dire un et il faut que tu te taises, d'accord ?

Filippo me touche légèrement le bras. C'est la première fois qu'il me touche, et c'est parce que c'est lui qui l'a décidé. Mais de quel mensonge parle-t-il ? Je n'aime pas ça. Estella répète toujours : « Rien que la vérité. »

– Si je ne mens pas, tu auras des ennuis, toi aussi, alors tais-toi.

Je remonte mes lunettes sur mon nez et le regarde fixement.

– Qu'est-ce que tu veux dire ?

– Rien. (Filippo balance sa jambe sous sa chaise.) Toi, surtout, ne dis rien. On fait des paniers ?

Il forme une boulette avec la feuille de papier sur laquelle il y a le mot à faire signer et la lance vers une fausse plante au coin du couloir, près d'une photocopieuse. Il doit y avoir une corbeille à papier. J'entends le petit bruit de sa boulette qui tombe dedans.

– À toi !

Comme je n'ai rien à jeter en dehors de mon papier à faire signer, je le prends, moi aussi. De toute façon, maintenant je suis punie. Je lance ma boulette vers le panier, mais je l'entends rebondir contre le mur, puis rouler par terre. Raté.

Filippo court reprendre les boulettes et me rend la mienne.

– On réessaye !

Je suis en train d'essayer pour la sixième fois quand le directeur sort de son bureau pour signer notre mot.

– Mais qu'est-ce que vous faites ?

Et cette fois, je n'ai pas besoin de mon troisième œil pour comprendre qu'il est très, mais très en colère contre nous.

Mon courage s'est réduit comme la boulette de papier qui est derrière la photocopieuse. Je suis sur le point d'avouer ce délit aussi (c'est comme ça qu'on dit quand on ne respecte pas une règle, non ?) lorsque Filippo se met entre le directeur et moi.

– C'est ma faute.

Le directeur est un grand monsieur très maigre, sans beaucoup de cheveux et avec des veines bleues sur le front. Je m'en souviens. Il n'est pas méchant, mais il reste toujours dans son bureau et ne parle pas beaucoup avec nous, les élèves. Un peu comme l'agent d'entretien plein de taches de sauce tomate. Qui sait si, en secret, ils sont amis, ces deux-là, s'ils boivent du café en parlant de nous. Impossible. Trop différents. Pourtant, Filippo et moi on est différents aussi et on est amis. Filippo, le directeur semble bien le connaître.

– C'est ma faute, je suis entré dans la classe, elle, elle voulait m'arrêter, et après je l'ai obligée à jouer avec le papier qu'on devait faire signer.

Ce n'est pas vrai ! Je veux le dire au directeur, je me lève, mais il s'est tourné vers son bureau et il y entre avec un grand soupir.

– Ça ne va pas du tout, mon garçon, pas du tout ! Laissons partir cette jeune fille et bavardons un peu, toi et moi.

Filippo ne me regarde pas et, quand j'essaie de l'arrêter, il retire son bras en me disant de partir. Je le suis presque dans le bureau du directeur. La dernière chose que j'arrive à voir, ce sont ses lunettes, la porte qui se referme, et un sourire, peut-être.

Filippo est mon Garrone à moi, le garçon du *Livre-Cœur* qui s'accuse de fautes qu'il n'a pas commises.

Sauf que le directeur n'a pas compris que Filippo a dit un mensonge pour me protéger.

Il faut que je coure.

Ça fait trop longtemps que je n'ai pas couru, et il

faut que je coure, mais comme le vent, comme les autres au parc ou sur la piste de gymnastique.

Je regarde autour de moi. Il n'y a personne, rien ne bouge, ni à l'entrée de l'école, ni dans le couloir. J'entends une porte qui s'ouvre à ma gauche et des secrétaires qui rient. Une dame avec une jupe noire très élégante, je crois, passe devant moi, des feuilles de papier à la main. Elle doit se servir de la photocopieuse. Je l'entends appuyer sur des touches, baisser le couvercle, et une lumière verte me fait briller des étincelles électriques dans les yeux. Je regarde de l'autre côté. La secrétaire me demande si j'ai besoin de quelque chose. Je me dirige vers ma classe. De toute façon, là, je ne peux rien faire pour Filippo.

La secrétaire ramasse ses papiers et retourne dans son bureau. Je l'entends fermer la porte. Maintenant, je suis vraiment seule dans l'école. Je reste complètement immobile et je compte jusqu'à dix dans ma tête. Personne ne passe, personne ne me cherche. Alors je fonce vers la loge d'Estella. Il faut simplement que je traverse le grand espace où on joue des pièces. Dans mon école, le sol est bleu, les murs gris, les portes bleues et grises. J'ai l'impression de courir dans le vide. Je me cogne de tout mon corps contre la porte de la loge, je l'ouvre, j'entre, et je la referme aussitôt. Je m'appuie dessus, le cœur qui bat comme le bongo de mon cousin Andrea.

Pour me calmer, je regarde autour de moi, même si mes lunettes sont sales et embuées, à moins que ce soient mes yeux, sales et embués comme le pare-brise de la voiture de maman. Il me faudrait des essuie-glaces à moi aussi pour enlever le noir. Mais on n'en a pas encore inventé d'aussi petits. La pièce est sombre, personne n'a remonté le store, aujourd'hui. Il y a juste une espèce de tube de lumière, très beau, qui entre par la petite fenêtre qui donne sur la cour. Je passe la main dedans, je joue un peu avec la poussière, en la dépla-çant, et j'ouvre ma main blanche pour voir les lignes toutes droites, faites d'ombre, qui se forment derrière mes doigts. Les choses très claires et très foncées sont les seules que j'arrive à voir assez bien, maintenant, surtout si elles sont proches les unes des autres. En tenant ma main dans le tube de lumière, je bouge et j'essaie d'observer l'ombre de ma main sur les objets de la pièce : la chaise à roulettes, le bureau, le meuble des chips…

Mon cadeau d'anniversaire ! Estella m'avait dit qu'elle l'avait laissé là. Je me baisse sous le bureau et j'ouvre le tiroir des objets confisqués. À l'intérieur, en fouillant, je trouve un paquet avec un ruban tout enroulé. Je le sors du tiroir et le pose sur le bureau. C'est un paquet mou, étrange.

C'est la deuxième fois en très peu de temps qu'on m'offre quelque chose de mou. Voyons ce que c'est.

Je m'assieds sur la chaise à roulettes et j'ouvre tout doucement le paquet. Je n'aime pas abîmer le papier qui entoure les cadeaux. Mais à la fin, je ne résiste pas et je le déchire. Une étoile. C'est la première chose que je vois. Une grosse étoile blanche. En tissu. Parce qu'elle est imprimée sur un tee-shirt, un tee-shirt noir. On dirait un de ceux que fait la mère de Filippo dans son magasin. Peut-être qu'Estella l'a commandé là-bas. L'idée qu'Estella et Filippo soient liés par une chose qui me concerne me plaît beaucoup. J'enfouis mon visage dans le tee-shirt. Estella l'a lavé et repassé avec la même lessive que ses vêtements, parce que je sens son parfum. L'étoile brille, elle est un peu lisse, je peux la voir avec mes doigts aussi. Et mes doigts en voient une autre, plus petite, sur le devant du tee-shirt. Je le tourne et le serre contre moi. La plus petite des étoiles, toujours blanche, se met juste sur mon cœur.

18

Personne n'a tiré

Il fait toujours très chaud dans la voiture de maman.

Aujourd'hui encore plus, parce que je dois lui dire que j'avais un mot à lui faire signer et que je l'ai chiffonné et jeté.

Elle, elle bavarde comme d'habitude, et je la laisse parler. J'appuie mon front contre la vitre, je fais de la buée et dessine une petite étoile avec mon doigt. Elle disparaît aussitôt, je n'ai même pas le temps de la voir. Mais ça n'a pas d'importance. Dans mon sac à dos, j'ai le tee-shirt d'Estella et, là, il y a deux étoiles, une pour moi et une plus grande pour elle. À la maison, je cacherai le tee-shirt sous mon lit, comme ça, je pourrai l'emporter dans l'arbre. Au printemps, je le mettrai et Estella aura trois petites étoiles toutes à elle (dont une dans son prénom).

Je monte l'escalier de l'immeuble en me disant qu'il vaut mieux que j'appelle Estella pour la remercier *avant* de dire à mes parents que j'ai eu une mauvaise note de conduite, sinon ils ne me laisseront pas me servir du téléphone. Quand je monte un escalier, je fais très attention aux marches, surtout quand je vais dans des endroits que je ne connais pas, parce qu'on ne sait jamais si elles sont hautes ou pas. Mais chez moi, mes pieds montent tout seuls : je les connais depuis que je suis petite, et je pourrais les monter les yeux fermés. Ou dans le noir. Encore une chose à ajouter à ma liste.

– Attention, mon petit, dégageons, dégageons, dégageons !

Je fais un saut de côté, contre la rampe, juste à temps pour éviter qu'une armoire parlante me rentre dedans. Une armoire qui parle et qui marche. Elle vient de notre appartement. Je demande :

– Où allez-vous ?

De derrière l'armoire pointe la tête d'un monsieur en sueur qui pose le meuble par terre. Je reste coincée entre la rampe et l'armoire. Le monsieur en sueur est si près de moi que je sens sa chaleur. Je le vois chercher quelque chose dans ses poches. Une feuille de papier. Il lit :

– Rue Gramsci, au numéro 2. Voilà où je vais.

Il reprend l'armoire et, avec de terribles efforts, il recommence à la descendre.

Mais c'est l'armoire de mes parents !

Je cours vers l'appartement. Et je trébuche contre un carton, juste devant la porte.

– Mais qu'est-ce… ?

– Mafalda, fais attention, mon trésor.

– Qu'est-ce qui se passe, maman ?

Elle sort de la cuisine, un couvercle à la main et son sac encore en bandoulière.

– On a commencé le déménagement. Tu te souviens du nouvel appartement ? Tu l'as vu, toi aussi. Il faut commencer à apporter nos affaires là-bas, on doit aller y habiter la semaine prochaine.

Je tends la main vers la commode qui est dans l'entrée, m'attendant à toucher la photo du mariage de papa et maman, qui est posée dessus d'habitude, mais ma main descend dans le vide, sans rien toucher. À la place de la commode, il n'y a plus qu'un peu d'air et de lumière grise. Ils l'ont enlevée. J'espère qu'ils ont mis la photo bien à l'abri dans une boîte, je ne voudrais pas qu'elle se casse, j'y tiens à cette photo, même si je ne peux plus très bien la voir.

Urgence buée sur mes lunettes. Je vais vers ma chambre. Dans le couloir, il y a un tas de cartons les uns sur les autres. Je dois faire attention à ne pas buter contre eux, parce qu'ils ont une couleur qui ne se voit pas beaucoup. Une couleur vraiment laide. Couleur papier toilette recyclé. Maman me suit avec son couvercle. Je la regarde par-dessus mon épaule et, pendant une seconde, je ne suis même pas sûre que c'est elle.

– Maman, je peux aller dans ma chambre toute seule ?

– Si tu veux. Mais regarde où tu mets les pieds. Je t'appellerai quand le dîner sera prêt.

Je m'arrête à la porte. Il fait noir, à l'intérieur. Il me suffit de tendre la main de côté pour allumer la lumière, et je ferme les yeux en même temps. Je fais un pas, puis un autre, jusqu'à ce que je sache que je suis au milieu de la pièce. Je tourne lentement sur moi-même. Et je sais. Je sais que tout est toujours là, qu'on n'a encore rien déplacé ni enlevé. Je le sens sur mes mains et sur mon visage pendant que je bouge. J'en suis sûre : les meubles sont à leur place, mes affaires aussi. C'est la dernière pièce qu'ils déménageront. Je marche vers mon armoire, l'effleure d'une main. Elle est en bois clair, je le sais. Deux pas encore et je suis à mon bureau. Voilà où j'avais laissé mon canif, je ne le trouvais pas à l'école. À un endroit du carrelage, il y a une dalle qui bouge un peu. C'est ici. Et au-dessus de moi, à gauche, quand je marche sur cette dalle, le petit lustre vénitien avec les faux cristaux fait *tin tin*, tout doucement. C'est de là que je me suis vue dans la glace la dernière fois. J'ouvre les yeux. Je ne vois rien à l'endroit du miroir.

Je m'approche. Un pas. Un autre. Encore un autre. Peut-être qu'ils n'ont enlevé que le miroir, pour commencer par quelque chose. J'avance la main pour véri-fier, mais je n'ai pas le temps de la lever : quelqu'un tire un coup de feu derrière moi et le miroir explose en

mille morceaux. Il était là, il était juste là, et moi…
Moi, je me suis coupée. Le sang a la même odeur que
les clés de la maison.

– Mafalda, qu'est-ce que tu as fait ?

Maman sort de la cuisine en criant et crie encore
plus fort en arrivant, quand elle voit le verre cassé et
mon sang qui coule.

– Ne bouge pas ! Je vais chercher quelque chose
pour te bander la main !

Elle court à la salle de bains. Je l'entends fouiller
dans la petite armoire à pharmacie, qui est encore là.
C'est moi qui l'ai cassé, ce miroir. Personne n'a tiré. Je
lui ai donné un coup de poing, il est tombé en miettes.

Très bien, Mafalda, on est à zéro pas du miroir.
Aujourd'hui, c'est mercredi. Lundi, on va dans le
nouvel appartement ou, plutôt, ils y vont, eux. Parce
que moi, dans trois jours maximum, je déménage dans
le cerisier et je n'en descends plus.

Je me réveille en entendant une voix dans la cuisine, la voix de quelqu'un qui pleure et qui parle
avec maman. C'est le matin, mon brouillard n'est
pas encore trop épais et j'ai intérêt à en profiter, je
suis curieuse de savoir qui est venu nous voir à cette
heure.

Je mets aussitôt mes pantoufles, je ne voudrais pas
marcher sur un éclat de verre du miroir, et je vais dans
la cuisine en faisant attention aux meubles déplacés,
aux cartons entassés dans le couloir.

– Bonjour, Mafalda. Désolée de t'avoir réveillée.

La voix de Ravina, le noir très noir de ses cheveux. Que fait-elle ici ? Je le lui demande.

Maman me fait asseoir à table, puis me donne une tasse de thé et des biscuits.

– Ravina est venue nous dire au revoir. Elle retourne quelque temps en Inde.

J'en fais presque tomber mon biscuit trempé dans le thé sur le napperon du petit déjeuner et évite de peu la catastrophe. Je remonte mes lunettes sur mon nez et regarde Ravina, la bouche ouverte.

– Pourquoi tu t'en vas ? Tu reviens quand ?

Elle soupire. Elle a les yeux très foncés tout autour, comme maman quand elle oublie de se démaquiller et que, le lendemain matin, elle ressemble au panda que j'ai vu un jour au zoo. Je suis presque sûre que c'est ce qui arrive quand les femmes adultes pleurent.

– On s'est séparés, Andrea et moi. Alors je retourne chez mes grands-parents. Moi, je les aide à la maison et eux, ils me tiennent compagnie.

Plic. Mon biscuit se casse vraiment et plonge dans le thé. Quelques gouttes tombent sur le napperon.

– Mais pourquoi vous vous êtes séparés ?

– Mafalda, Ravina n'a peut-être pas envie d'en parler.

Ravina me caresse légèrement un bras et dit à maman de ne pas s'inquiéter, qu'en fait, elle est venue justement pour rester un peu avec moi. Maman me recommande de ne pas trop la stresser et se met à

176

rincer les assiettes du dîner d'hier soir. Je ne suis pas encore habituée à la voir tout le temps à la maison, j'ai l'impression qu'elle va partir à son travail d'un moment à l'autre, mais elle est toujours là à me surveiller.

Ravina m'explique que c'est elle qui a décidé de quitter Andrea, parce qu'il ne lui dit jamais qu'il l'aime bien. Je ne suis pas sûre d'avoir compris. « Je t'aime bien », on dit ça à ses parents, à la famille, aux amis et aux animaux, il me semble mais, entre fiancés, on se dit « je t'aime », sauf en Amérique et dans tous les endroits où on parle anglais, où on dit *aye loviou* à tout le monde. C'est la remplaçante du prof d'anglais qui me l'a expliqué.

– C'est vrai, tu sais, d'ailleurs, il ne m'a jamais dit « je t'aime » non plus.

– Même en anglais ?

– Non, même en anglais. Pourtant, moi, je lui ai répété que je l'aimais au moins cent fois.

Oh, là, là ! Ravina a dit « je t'aime » cent fois ! Elle aura cent enfants. Il faut que je la prévienne.

– Qu'est-ce que c'est que cette histoire d'enfants, Mafalda ? demande maman en se tournant vers moi, l'air agacée.

– Rien, simplement si quelqu'un dit à quelqu'un d'autre qu'il est amoureux de lui, après, il a un enfant.

– Qui t'a raconté ça ?

– Personne.

Je ne veux pas avouer que c'est Estella, parce que

j'ai l'impression que ce n'est pas tout à fait ça et que je n'ai pas très bien compris. Ravina m'explique alors que c'est beaucoup plus compliqué d'avoir un enfant, qu'il ne suffit pas de déclarer « je t'aime » pour en avoir un et, qu'en plus, si quelqu'un est amoureux et qu'il ne dit pas « je t'aime », non seulement il n'a pas d'enfants mais il perd aussi l'autre personne, comme ça leur est arrivé, à Andrea et à elle.

Maman fait du café pour elle et pour Ravina, pendant que je me lave et m'habille avant d'aller à l'école. Papa m'aide à mettre mon sac sur l'épaule et ouvre la porte de l'appartement. Ravina vient m'embrasser. Elle a toujours cette odeur d'église sur elle, mais aussi de plage et d'eau. C'est l'odeur de quelqu'un qui pleure. D'après moi, chacun a une odeur spéciale quand il pleure. Elle, elle sent la plage et l'eau. Elle me serre fort contre elle, prend mon visage entre ses mains et met ses yeux presque dans les miens pour que je puisse les voir presque bien. Ils ne sont pas noirs. Ils sont marron très foncé.

– Ne jamais, jamais se rendre, Mafalda, n'oublie pas !

– D'accord. Ne jamais, jamais se rendre.

– Tu es une petite grenouille courageuse.

Je sors sur le palier. Les lunettes tout embuées, je dis au revoir à Ravina, parce que c'est la dernière fois que je la vois avant qu'elle parte pour l'Inde. Peut-être qu'elle ne reviendra plus, et même si elle revient… je serai dans le noir en haut de mon cerisier.

19

Ça, c'est intéressant

– Tu as vu toutes les fleurs du cerisier, Mafalda ?

Je marche vers l'école en tenant fermement la main de papa. Je regarde dans la direction du cerisier et, pendant un instant, je fais semblant de méditer sur la beauté des fleurs, comme m'a conseillé de le faire Ravina, qui sait très bien méditer, c'est-à-dire penser très fort. En fait, on est encore trop loin. Parfois, papa continue à me dire : « Tu as vu ? » ou « Regarde là-bas ! », ou « Tu vois », et moi, ça me désole parce qu'il est vraiment content de me montrer des choses, alors je ne réponds pas et, au bout d'un moment, il s'aperçoit de ce qu'il a dit, il devient triste, et je crois qu'il voudrait me demander pardon. Alors je dis : « Attends qu'on soit plus près » et quand je vois moi aussi, on est de nouveau contents tous les deux.

179

Ça marchait bien il n'y a pas si longtemps encore, mais maintenant je n'arrive quasiment plus à rien voir de ce que papa me montre, même quand on est tout près. Aujourd'hui sur le cerisier, les premières fleurs du printemps ont dû éclore. J'essaie de faire ce que m'a conseillé Ravina, je ferme les yeux et je respire à fond. Mes narines se remplissent aussitôt d'air froid, mais je sens tout de suite l'odeur du printemps. Pour moi, c'est l'odeur des bonbons à la rhubarbe de grand-mère, des bouquets de fleurs, mais pas de celles du fleuriste, qui toutes ensemble sentent le cimetière, le parfum des vraies, de celles qui naissent dans les champs et dans les jardins des gentilles vieilles dames.

C'est le moment de compter, parce que je suis presque sûre de voir quelque chose qui ressemble à un arbre en fleur. L'école est couverte par un de mes petits nuages gris, mais je suis sûre qu'à côté, mon arbre m'attend avec toutes ses fleurs attachées à ses branches. Je me rappelle comment elles sont au printemps, comme de petites perles, comme des *miiilliers* de papillons blancs pelotonnés sur la tête du géant après le repos de l'hiver.

Même si je ne suis pas vraiment sûre de bien voir, je commence donc à compter : un pas, deux pas, trois… plus je m'approche de l'école et plus je respire l'odeur douce et fraîche du printemps qui sent le bonbon. L'air est une dame souriante qui passe son écharpe de soie bleue sur mon visage et sur mes cheveux. Une mèche me chatouille sous le nez, mais je ne l'enlève pas. Je compte mes pas, j'arrive jusqu'à cinquante-deux. Ça fait vingt-six mètres du cerisier. Vingt-six, mais en trichant un peu. Est-ce que c'est quand même valable, si les fleurs en petites perles et tout l'arbre ne sont pas vraiment ce que je viens de voir, mais ce que je me rappelle avoir vu les années passées ?

Il faut que j'y réfléchisse. D'après Ravina, c'est important d'être honnête avec soi-même, je ne sais pas très bien ce que ça signifie, mais je crois que c'est lié à la vérité. Ne pas dire de mensonge, même dans sa propre tête. Je regarde par terre en pensant à ce truc du mensonge dans sa tête, mais je la relève en entendant un sifflement faible, très faible, vers l'escalier de l'école. On dirait l'appel secret d'Estella, mais beaucoup plus court que d'habitude.

Je lâche la main de mon père et me mets à courir vers l'escalier en passant à côté du tronc du cerisier. Je sens la fraîcheur de son écorce, même sans la toucher.

– Estella ! Tu es revenue !

– Oui…

Monter les marches de l'école est naturel pour moi, comme à la maison mais, tout d'un coup, je me retrouve seule, sans la main de papa ni celle d'Estella, pas encore du moins, et je ne sais plus où j'en suis. Il y a dix-sept marches en tout, d'habitude je les monte deux par deux, sauf la première, sinon à la fin, il en reste une, et ça m'embrouille. En général, je n'ai pas peur de monter l'escalier de l'école. Même le jour où j'avais oublié mes lunettes dans la voiture de maman et où grand-mère était venue me les apporter en classe, je n'avais pas eu peur. Mais aujourd'hui, si. J'ai beau connaître la hauteur du pas que je dois faire pour atteindre la prochaine marche, j'ai l'impression que mon pied ne se souvient plus de rien, qu'il n'y a plus d'escalier en dessous, mais de la lave avec des crocodiles, et que, si je tombe dedans, ils me mangeront, que je mourrai bouillie.

– Ah !

Je perds l'équilibre, mon dos part en arrière, je tombe. C'est affreux d'attendre de tomber dans le brouillard. Mais finalement, je ne tombe pas. Les mains dures d'Estella m'attrapent par le bras et tirent, tirent vers la dernière marche, la plus haute, celle où elle est, et je m'effondre sur elle, avec mes lunettes au bout du nez et le visage écrasé contre sa blouse parfumée.

C'est la première fois qu'elle me tient dans ses bras comme ça. Maman le fait souvent, et ma grand-mère aussi le faisait, même si elle avait mal aux bras et aux jambes. Quand maman me serre contre elle, c'est doux devant, comme un oreiller. C'était pareil avec grand-mère. Comme si elle avait de la pâte à pain chaude et moelleuse sur le cœur.

Estella est comme ça d'un seul côté : là où est le cœur, on l'entend battre *tomp tomp tomp* sans aucun coussin moelleux. Je lève la tête vers elle pour lui demander pourquoi il n'y a plus de pâte à pain sur son cœur, mais du bas de l'escalier monte la voix de papa qui me demande si tout va bien, et Estella s'écarte un peu, puis elle me tourne vers lui pour lui montrer que je suis entière.

Nous entrons dans l'école, elle ne me laisse plus me serrer contre elle et moi, je n'arrive même pas à parler, tellement je suis étonnée. Mon troisième œil me donne un bon conseil : laisser tomber les questions jusqu'à la récréation. À la porte de ma classe, je demande à Estella si je peux aller la voir, plus tard.

Sa main dure me fait une caresse sur la tête, elle semble être la dame souriante qu'elle était tout à l'heure, dans l'air avec son écharpe de soie bleue, et pas l'Estella de d'habitude, la reine des Amazones.

– Qu'est-ce qui s'est passé, ce matin, dans l'escalier ?
– Qu'est-ce que tu fais ?

La petite pièce est tout en désordre. Il y a beaucoup de poussière dans la lumière qui entre par la fenêtre et dès que je pose les mains quelque part, je sens des objets sous mes doigts. Même avec mes chaussures, je déplace quelque chose par terre à mes pieds, des livres peut-être.

Estella m'époussette le nez avec un chiffon plein de spray pour les vitres, le même que celui dont se sert maman.

– Tu es vraiment une petite princesse, toi, hein ? Quand tu veux poser une question, tu n'écoutes même pas celle des autres.
– Excuse-moi. Qu'est-ce que tu fais ?

Estella plie son chiffon en soupirant et traîne sa chaise à roulettes devant moi. Je m'assieds et je la fais tourner.

— Je nettoie, ma chère. Il faut bien, de temps en temps.

— Je sais. Moi aussi, je devrais ranger ma chambre. Mais j'ai l'astiquophobie.

Estella sourit, je l'entends dans sa voix.

— Qu'est-ce que c'est, l'astiquophobie ?

J'arrête de tourner avec la chaise en me retenant au bureau.

— Je ne sais pas. Je l'ai lu dans un livre, un jour. Je crois que c'est un blocage qu'on a quand on ne veut pas faire quelque chose.

— Ah. J'ai compris. Ça arrive.

Tout d'un coup, je pense qu'en ce moment un monsieur en sueur est peut-être en train d'entrer dans ma chambre que je ne range jamais, qu'il emporte mon armoire, mon bureau, mon lit et que, sous mon lit, j'ai laissé la couverture de grand-mère avec dedans toutes les choses qui me serviront dans mon cerisier. Si j'étais grande, je dirais à mes parents que déménager, c'est pas trop difficile, ce qui signifie pour moi que c'est horriblement difficile.

— Estella…

Mon Amazone s'assied sur le tabouret et soupire de nouveau.

— Quoi ?

— Tu n'as jamais peur ?

Je l'entends mettre ses mains sur ses hanches. Filippo et elle le font presque de la même façon, presque, presque.

– Bien sûr que j'ai peur, quelquefois. C'est normal.

– Et alors, qu'est-ce que tu fais ?

– Je réfléchis. Je cherche une solution. Et si je n'y arrive pas, j'imagine quelque chose de beau, d'amusant, qui me rende heureuse et m'enlève ma peur.

– Et quand tu as vraiment très, très, très, mais très peur ?

– Mafalda, la peur n'est pas toujours mauvaise, tu sais.

– Comment ça ?

– Il y a des jours où il nous arrive des choses qui font vraiment très peur...

– Comme un déménagement, par exemple ? Ou le noir ?

– Oui, exactement comme un déménagement ou l'obscurité. Eh bien, dans ces moments-là, la peur nous oblige à réfléchir, et c'est comme ça qu'on grandit, qu'on devient plus fort.

– Tu veux dire musclé ?

Estella sourit, mais elle est fatiguée. Elle sent bon l'oreiller – les oreillers ont toujours une odeur spéciale –, et elle a le même parfum que le cerisier en hiver, aussi.

– Non, Mafalda, je ne voulais pas dire musclé, mais courageux. Fort dans sa tête. La peur aide à voir les choses plus clairement, au bout d'un moment.

185

– La peur aide à mieux voir ?

Ça, c'est intéressant.

J'entends Estella se lever et aller au milieu de la pièce.

– Viens ici, dit-elle.

Je pousse la chaise à roulettes pour m'approcher d'elle.

– Lève-toi.

Je me lève. Soudain, j'ai un peu peur, parce qu'il n'y a plus de sourire dans sa voix. Je suis debout devant elle. Et maintenant ?

Elle pose ses mains dures sur mes épaules et m'attire contre elle. Elle me serre fort dans ses bras et je la serre moi aussi, c'est aussi naturel pour moi que monter l'escalier de notre immeuble. J'appuie ma tempe et ma joue contre sa blouse et j'entends le même *tomp tomp tomp* que tout à l'heure, là où il devrait y avait un coussin moelleux qui rend le cœur plus tranquille.

Je regarde Estella par en dessous. Presque tout son visage est couvert par un de mes nuages gris, mais je vois un peu ses lèvres – elle a oublié de mettre du rouge, ce matin – et ses cheveux toujours très noirs.

– Tu sais pourquoi je suis comme ça ?

Je ne sais pas bien quoi répondre. J'ai peur de lui faire de la peine, pour une raison ou une autre, ou qu'elle se fâche.

– Comme quoi ? je bredouille dans ses bras.

Elle soupire, me prend une main et l'appuie fort contre sa blouse, à l'endroit de la poche.

J'ai envie de la retirer aussitôt, mais Estella la maintient là avec les siennes.

– Qu'est-ce que tu sens ?

– Rien !

– Ce n'est pas vrai. Qu'est-ce que tu sens ?

Je sens que je suis toute rouge et agitée, je sens mon cœur qui bat comme un bongo et… son cœur à elle. Je me calme et j'écoute mieux avec ma main. Le cœur d'Estella aussi bat comme un bongo. Comme le mien.

– Qu'est-ce que tu sens ?

Je la regarde de nouveau. Et je souris.

– Ton cœur.

– Tu as vu ? Tu as eu peur mais, après, tu t'es arrêtée et, à la fin, ta tête a tout compris. La vérité n'était pas si terrible, hein ?

– Non.

Estella me lâche la main. Je lui demande :

– Mais où est passée l'autre moitié de la pâte à pain ?

Elle ne répond pas, peut-être qu'elle n'a pas compris.

– La pâte à pain moelleuse, celle qui devrait être là. (Je lui montre son cœur.)

– Ah oui, c'est vrai, il n'y en a plus que la moitié. Eh bien, c'est mon amie qui l'a prise.

– Celle qui est allée te voir à l'hôpital ?

– Oui.

– Mais ça ne se fait pas !

– Non, ce n'était pas gentil de sa part. Mais j'y ai réfléchi et je sais ce que je ferai quand elle reviendra me voir.

– Tu as un plan ?

Enfin, son sourire revient.

– Plus ou moins, oui. Et toi, tu as un plan ?

Je m'approche de nouveau d'elle et je l'oblige à se baisser jusqu'à ce que je puisse mettre mes mains autour de son oreille. Je lui chuchote mon plan secret :

– Mon plan, c'est d'aller vivre dans le cerisier de l'école.

Estella réfléchit un instant, puis hausse les épaules.

– Ça me paraît être un excellent plan. Préviens-moi quand tu iras, je te donnerai un coup de main pour le déménagement.

Puis elle me pousse dehors, parce qu'elle doit sonner la fin de la récréation. Quand elle ferme la porte, je me retrouve dans la bousculade, avec ceux qui courent, qui hurlent, qui font des bulles dans leur jus de fruits, et je repense à l'histoire des Amazones, à leur courage, à leur sein coupé pour mieux tenir leur arc. C'est Estella qui m'avait raconté ça. Je me tourne vers la petite fenêtre de sa loge, celle qui donne sur l'intérieur de l'école et, entre les lames du store à moitié baissé, j'ai l'impression de voir ses yeux effrayants qui me regardent, sauf qu'ils ne sont pas effrayants, ils sont noirs et beaux. Puis mon brouillard arrive et les couvre, à moins que ce soit Estella qui baisse le store pour ne pas faire savoir à tout le monde qu'elle est une vraie Amazone.

20

Respire !

J'ouvre les yeux.

Tous les enfants ont peur du noir et moi aussi parce que, pour moi, le noir, c'est un bandeau sur les yeux que tu t'étais mis pour jouer et que tu ne peux plus enlever.

Je bats des cils encore et encore. Là où devrait être la fenêtre avec la lune et l'étoile Polaire la nuit, ou le soleil dans la journée, je ne vois rien. Ma chambre est grise. Ma main est grise quand je la bouge devant moi. Le noir est gris foncé. Et, à mon avis, le gris, c'est beaucoup plus laid que le noir.

Ottimo Turcaret est gris et marron. Peut-être que j'arrive encore à voir ce qui était déjà gris avant le noir. Mais je ne sens pas la chaleur d'Ottimo Turcaret sur mes pieds. Je touche mes pantoufles au pied du lit, il n'est pas là non plus.

– Maman !

Respire, Mafalda, n'oublie pas de respirer. De la cuisine monte une bonne odeur de café et de brioche. Papa a dû aller en acheter une à la supérette, vu qu'à la maison on n'a presque plus rien à cause du déménagement.

– Qu'est-ce qu'il y a, Mafalda ? Il est trop tôt pour se lever. Reste encore un peu au lit, je t'appellerai.

– Où est Ottimo Turcaret ?

Maman avance dans ma chambre. J'entends les pas de ses pieds nus, l'air qu'elle déplace en passant à côté de moi, le froissement d'un sac en plastique et le froufrou des vêtements qu'elle ramasse, puis met dans le sac.

Une goutte de sueur descend sur mon front et s'arrête près de mon oreille. Je dois faire semblant de rien parce que, si maman s'aperçoit que je suis dans le noir, elle ne me permettra d'aller nulle part aujourd'hui, ni peut-être plus jamais, et elle m'emmènera forcément dans le nouvel appartement dans lequel je ne sais pas où sont les choses.

J'insiste :

– Où est Ottimo Turcaret ?

– Dans une pension pour animaux. Papa l'y a emmené hier soir, pendant qu'il dormait. Tu sais qu'il ne se réveille pour rien au monde, dit-elle avec un petit rire.

Pension pour animaux ? Qu'est-ce que ça signifie ? Les chats aussi vont en pension ? C'est peut-être

190

comme ces maisons de retraite où vivent certains grands-parents qui n'ont plus personne. Mais Ottimo Turcaret, il m'a, moi, pourquoi l'ont-ils mis en pension ?

— Pourquoi vous ne l'avez pas amené chez mon oncle et ma tante ?

— Bah, tu sais, avec l'histoire d'Andrea et de Ravina, ils n'avaient pas tellement envie de s'occuper du chat en plus. Mais ne t'inquiète pas, c'est provisoire, juste le temps de finir le déménagement.

Je n'ai plus envie de parler à maman. Puisque je ne la vois pas, je peux faire comme si elle n'était pas là et ne pas lui parler. Je retourne sous les couvertures et j'essaie de pleurer tout doucement, avec le corps seulement et pas avec la voix, comme Filippo, pendant qu'elle continue à aller et venir, et que je sens le lit vibrer tout doucement à chacun de ses pas.

Filippo. Il faut que je lui parle. C'est aujourd'hui que je vais dans le cerisier, je ne peux plus attendre, parce que le noir est arrivé et que je dois essayer de grimper là-haut avant que les monstres m'attrapent par les pieds et m'emportent. Mais je veux lui dire aussi qu'on est toujours amis pour faire notre groupe de musique et que je peux chanter du haut de mon arbre. Peut-être que si j'ai assez de courage, je lui dirai aussi « je t'aime », comme ça, il ne partira jamais.

Bon, eh bien, j'y vais. Je m'assieds au bord de mon lit dès que j'entends que le silence est total, et je reste immobile, mes pieds posés sur mes pantoufles.

J'ai l'impression d'être au sommet des montagnes russes, quand on va se précipiter dans la première descente, qu'on lève les bras et qu'on ferme les yeux. Mais moi, je ne descends pas. Jamais. J'ai envie de vomir, mais je dois m'y habituer. Je respire. Je cherche automatiquement mes lunettes même si, en réalité, elles ne me servent plus à rien. Mais je dois faire croire à mes parents que tout va bien. Il vaut mieux que je les mette. Je tends la main vers l'étagère où je les pose le soir, mais je fais trop attention, je les pousse et elles tombent. J'écoute bien. Dans la cuisine, apparemment, personne n'a rien entendu. Les petites cuillères tintent contre le bord des tasses à café, et papa bâille comme un hippopotame. Tout va bien, je cherche par terre avec mes mains, je trouve mes lunettes, je les mets sans trop me demander où est mon visage. OK, ça, c'est important : dans le noir, il faut faire les choses, les faire et c'est tout, sans trop y penser. Mais j'ai peur, et Estella m'a dit que, quand on a peur, il faut s'arrêter et réfléchir. J'ai l'impression que c'est une méthode qui ne marche pas avec moi. Qu'est-ce qu'elle m'avait conseillé d'autre ? Ah oui : penser à quelque chose de beau. Le cerisier.

Je sors de sous mon lit la couverture de grand-mère avec toutes mes affaires dedans : la boîte rose de Bouboule, le petit matelas gonflable à deux places de Clara, le MP3, des tee-shirts et des chaussettes propres, parce que maman dit toujours : « Imagine qu'il t'arrive quelque chose et qu'on t'emmène à l'hôpital, tu auras l'air de quoi avec un tee-shirt et des chaussettes sales ? »

Ma loupe de *Cherlocolme*, Kevin ne me l'a pas encore rendue, il faudra donc que je m'en passe. Même chose pour l'imperméable. Je prendrai le petit parapluie de maman, qu'elle garde dans le panier de son vélo, en bas dans la cour. Je touche rapidement mes affaires pour essayer de me rappeler si j'ai bien tout. Je referme la couverture en faisant des nœuds aux coins, et je la fourre tout au fond de mon sac à dos en appuyant bien dessus. Je prends ma trousse et les livres dont j'ai besoin aujourd'hui à l'école – je les avais préparés hier soir sur une chaise à côté du lit parce que mon bureau est déjà dans le nouvel appartement –, et je les range par-dessus la couverture pour qu'on ne la voie pas. Je ferme mon sac et j'espère qu'il ressemble à celui des autres jours, et pas à un sac préparé pour s'enfuir de la maison. Avant de partir, je prends mon cahier personnel. Je voudrais pouvoir jeter un coup d'œil à la liste des choses auxquelles je tiens énormément et que je ne pourrai plus faire, mais comment ? J'aurais dû l'écrire en petits points braille. Maintenant, je peux seulement toucher les pages, sentir la poussière qui est dessus, les plis du papier et mon cœur qui bat au bout de mes doigts. Au moins, je sais qu'il y a encore deux choses écrites dans ma liste, deux choses que je n'ai pas encore barrées. Grimper au cerisier de l'école. Et, sur la deuxième page, être forte comme une Amazone. Il est peut-être déjà trop tard, parce que je me sens très fatiguée, je ne veux plus être forte comme une Amazone, c'est trop difficile. Le noir est arrivé, et je veux seulement monter dans le cerisier. La distance qu'il y a entre lui et moi n'a plus d'importance, maintenant.

21

Je n'ai même pas dit
au revoir à Ottimo Turcaret…

Estella m'a dit de la prévenir quand j'irai dans le cerisier, elle veut me donner un coup de main et je crois que j'en ai vraiment besoin. J'entendrai bientôt son sifflement et tout ira bien, elle m'aidera à monter l'escalier, on se mettra d'accord pour se rencontrer sous l'arbre à la récréation et, quand les autres rentreront en classe, moi, je lui dirai au revoir, elle me fera la courte échelle et je grimperai dans mon cerisier pour la dernière fois.

Je m'habille en faisant attention mais pas trop, autrement je n'y arrive pas. Quelle malchance que maman m'ait préparé un chemisier justement aujourd'hui ! J'ai du mal à le boutonner dans le noir. Mais mes doigts aiment bien les boutons : ils sont lisses, frais et entrent facilement là où ils doivent.

Tous sauf un seul, mais tant pis, ça ira comme ça, espérons simplement que maman ne vérifiera pas. Elle vient dans ma chambre pour me faire mes couettes. Elle chantonne. Je ne lui ai rien dit de la mauvaise note de conduite que j'ai eue avec Filippo. Et maintenant, autant ne pas en parler, puisque dans très peu de temps je serai hors de danger.

Sur le chemin de l'école, je respire fort, tellement fort que papa me demande si je vais bien.

Il faut que je me calme. Je n'ai même pas dit au revoir à Ottimo Turcaret, je ne sais pas où il est… Tout ce que je sais, c'est que je ne le reverrai plus et ça remplit mes yeux de larmes.

Papa ne doit pas m'entendre pleurer, sinon il va comprendre qu'il y a quelque chose qui ne va pas. Je lui serre la main, je lui montre le cerisier, même si je ne suis pas sûre qu'il soit exactement à l'endroit que je lui montre. Je prends le risque.

– Le géant et grand-mère ont collé leurs plus belles fleurs sur les branches, tu ne trouves pas, papa ?

C'est le printemps, on a parlé des fleurs hier, et puis l'air du matin m'apporte leur parfum de bonbon à la rhubarbe : ça devrait marcher. En effet, papa répond que oui, c'est exactement ça, et il me serre la main, lui aussi.

Pauvre papa, dans son livre préféré, si le baron perché, Cosimo, va vivre dans les arbres, c'est la faute de son père, en tout cas d'après ce que j'ai compris. Il était trop sévère et il l'obligeait à manger toutes les cochonneries que cuisinait la sœur de Cosimo. Mon papa, lui, est assez gentil, même s'il m'oblige à manger du thon et si c'est lui qui a voulu qu'on déménage dans le nouvel appartement. Je lui écrirai un mot du haut de mon arbre pour lui expliquer.

– On est arrivés, dit-il, et je me cogne presque contre le tronc du cerisier. Estella n'a pas sifflé.

– Je crois que ton amie n'est pas là, aujourd'hui. Je vais t'accompagner à l'intérieur, dit papa, et je l'entends déjà qui se dirige vers l'escalier.

– Non, ne t'inquiète pas, j'y vais toute seule.

Je commence à monter les marches, le cœur battant sous mon tablier, là où est imprimée la petite étoile blanche. J'ai pensé que la meilleure façon d'emporter le tee-shirt d'Estella était de le mettre sur moi, sous mon chemisier.

– Tu es sûre ?

– Oui.

Je lui dis au revoir sans me retourner.

– Bon. À tout à l'heure.

J'arrive à la porte de l'école et je suis mes camarades jusqu'en classe en touchant les murs d'une main, mais discrètement, sinon les maîtresses vont tout de suite s'en apercevoir. Heureusement, je n'ai pas de contrôle ce matin, et Fernando me laisse tranquille.

À la récréation, je ne sais pas quoi faire, j'essaie de bouger le moins possible pour ne pas attirer l'attention des maîtresses. J'aimerais bien savoir où est

Estella, justement aujourd'hui où j'ai tellement besoin d'elle. J'entends la voix de l'agent d'entretien au tee-shirt sale qui passe à côté de moi. Il téléphone avec son portable.

– Excusez-moi…

Il arrête de parler au téléphone et je sens que je le dérange.

– Qu'est-ce que tu veux ?

– Où est Estella ?

– J'en sais rien, moi. Elle est toujours malade, celle-là, et c'est moi qui dois faire son travail.

– Elle est malade ?

– En quoi ça te concerne ? Tu es sa fille ?

– Non. Je m'appelle Mafalda.

Sa voix change.

– Mafalda, tu as dit ?

– Oui.

– Estella a laissé une lettre pour toi. Attends-moi là, je vais la chercher.

Il part en parlant dans son portable, et moi, je le suis en écoutant le son de sa voix.

Quelqu'un me bouscule, j'espère que c'est Filippo, mais il est peut-être puni et a dû rester dans sa classe. Ça arrive souvent. Très souvent.

– Voilà. Retourne avec les autres, maintenant, ça va bientôt sonner.

J'ai la lettre d'Estella à la main. C'est une enveloppe avec une feuille de papier pliée en deux à l'intérieur, ça doit donc être une lettre courte. Qu'est-ce qu'elle peut bien m'écrire qu'elle ne peut pas me dire ? Il faut que quelqu'un me lise la lettre, et vite, parce que mon troisième œil hurle de toutes ses forces que, sur ce papier, il est peut-être écrit où est Estella et comment elle va. Il faut que je trouve Filippo.

– Maman, tu peux m'accompagner chez Filippo, cet après-midi ?

– Non, pas aujourd'hui, Mafalda, on doit finir le déménagement.

Je suis en voiture, et tellement énervée que je n'ai même pas remis mes lunettes après le cours de gymnastique. Fernando m'a imposé des exercices stupides pendant que les autres faisaient une course d'obstacles, et mes lunettes sont restées dans sa poche à lui. Mon sac à dos est à moitié vide parce que j'ai laissé la couverture avec mes affaires dans les toilettes du vestiaire de la salle de gymnastique. Comme ça, je n'aurai plus qu'à la prendre. L'après-midi, l'école est ouverte jusqu'à six heures pour ceux qui font de l'anglais, jouent aux échecs ou de la musique, et je pourrai récupérer mon balluchon pour l'emporter dans l'arbre.

Sauf que tout va de travers.

– Mais il manque encore un jour !

– À quoi ? demande maman, et je comprends qu'elle est étonnée par la force de ma voix.

– Au nouvel appartement ! Tu avais dit qu'on irait lundi.

— Je sais, mais si on peut y aller avant, c'est mieux, non ? Comme ça, tu pourras arranger ta chambre, faire la connaissance des voisins et…

Je ne l'écoute plus. Si on finit le déménagement aujourd'hui, je suis fichue. Je n'ai plus qu'une chose à faire : sortir en cachette, aller chez Filippo pour qu'il me lise la lettre, découvrir où est Estella et grimper sur le cerisier avant que papa et maman me trouvent.

22

Grimper dans le cerisier de l'école

D'autres messieurs qui sentent la sueur, la poussière et les cartons passent à côté de moi, et plus ils parlent entre eux en déplaçant les derniers meubles et les caisses, plus je comprends que ma maison est vide. Les voix résonnent entre les murs, les cartons font vibrer le sol et j'ai envie de me boucher les oreilles, mais je ne peux pas ; on me découvrirait.

Je voudrais téléphoner à Filippo avec le portable de maman pour lui dire de venir ici me lire la lettre d'Estella, mais je ne le trouve pas dans ce désordre, dans le vide qui est resté à la maison, et dans le noir que j'ai dans les yeux. À la fin, je n'en peux plus, je vais vers la voix de maman qui est en train de demander aux messieurs en sueur de mettre sa bicyclette aussi dans le camion, s'il vous plaît.

– Maman, tu peux me lire ça ?

Maman s'évente avec quelque chose qui doit être un vieux journal.

– Mafalda, je n'ai pas le temps pour l'instant. Prends ta loupe, sois gentille.

– Je l'ai laissée à l'école.

Elle s'approche alors tout près de moi et écarte mes cheveux de mon visage. Mes couettes se sont un peu défaites pendant le cours de gymnastique. Elle veut savoir si tout va bien. J'ai peur qu'elle me regarde dans les yeux et qu'elle comprenne que la lumière s'est éteinte. Qu'est-ce que je dois faire quand j'ai peur ? Penser à quelque chose de beau. Le cerisier. Je fais un grand sourire à maman et je lui tourne le dos, pour qu'elle puisse me coiffer. Elle est rassurée.

– D'accord. Qu'est-ce que tu veux que je te lise ?

Je lui donne la lettre d'Estella, elle l'ouvre et l'appuie sur ma tête.

– Oh, comme c'est écrit gros ! Et au feutre noir, comme tu aimes. À mon avis, tu peux la lire même sans lunettes.

– Je n'ai pas mes lunettes. S'il te plaît !

– Bon, OK. Alors écoute : « Chère Mafalda, il y a quelque temps, je t'ai dit qu'une amie mal élevée m'avait pris un petit bout, tu te rappelles ? Mais Estella ne dit pas de mensonges, seulement la vérité, et il faut que tu saches que ce n'était pas une amie, mais une maladie très pénible, que cette maladie est revenue et qu'elle essaie de me prendre encore un bout, ou peut-être de me prendre moi tout entière. C'est pour ça que je suis à l'hôpital et que je n'ai pas pu faire notre sifflement secret… » Oh, Mafalda, je suis tellement désolée !

Maman arrête de lire et sa voix est vraiment triste, mais j'ai la tête pleine de mots qui se bousculent sans rien me laisser comprendre. Mes yeux me piquent, je lui arrache la lettre des mains.

– Ça suffit !

Je cours loin de la voix de maman qui crie : « Où vas-tu ? », et je lui crie, moi aussi : « Je veux rester seule, s'il te plaît », j'arrive à retrouver ma chambre, mais vraiment par hasard, à ramasser par terre mon cahier personnel là où je l'avais laissé, derrière la porte, à arracher les premières pages, la liste et tout, et à m'enfuir par la porte qui donne sur l'escalier que je descends au risque de me tuer, à sortir de l'immeuble et à traverser la cour, tandis que la voix de papa passe à côté de moi : « Ralentis ! » et « Ne t'éloigne pas ! »

Appuyée contre la barrière qui donne sur l'arrière de l'immeuble, je m'arrête pour reprendre mon souffle. C'est affreux de courir dans le noir. Et même si j'avais juré de ne plus le dire, maintenant je le dis : « Ça me dégoûte, dégoûte, dégoûte, dégoûte, dégoûte, dégoûte, dégoûte, dégoûte ! » Tout me dégoûte, le nouvel appartement me dégoûte, l'école me dégoûte, les amies me dégoûtent, les grands-parents me dégoûtent parce qu'ils meurent, les chats me dégoûtent parce qu'ils disparaissent et ne savent pas descendre des cerisiers, les fiancés me dégoûtent parce qu'ils ne se disent pas « je t'aime », et moi, je me dégoûte parce que tout le monde voit sauf moi.

– Eh ! Tu te sens bien ?

Une voix inconnue. De l'autre côté de la rue. Les voisins antipathiques qui habitent dans la maison de grand-mère.

– Pourquoi vous avez changé les rideaux ?

Je suis surprise moi-même par mes hurlements, les larmes entrent dans ma bouche, je ne m'étais même pas aperçue que je pleurais très fort. Je cherche le loquet de la barrière, je l'ouvre et je m'enfuis sur le trottoir, là où Filippo s'était arrêté avec son vélo, l'automne dernier, pour bavarder et caresser Ottimo Turcaret. Il n'habite pas très loin de chez moi, et quand j'arriverai devant le magasin de tee-shirts imprimés, je l'appellerai de toutes mes forces, il descendra dans la rue et m'aidera à aller à l'hôpital, parce qu'il faut que je parle de mon essentiel à Estella. Peut-être que si je lui dis, elle n'ira pas habiter dans le tronc avec grand-mère et le géant. Si je lui dis mon essentiel, elle restera là, elle m'aidera à monter dans mon arbre, et peut-être qu'elle m'expliquera aussi pourquoi les chats ne savent pas descendre des cerisiers.

J'essaie de marcher vite sur le trottoir et de ne pas me perdre. Je fais glisser une main le long du mur des maisons et des grilles des jardins. Aïe ! Dans le noir, la douleur fait vraiment mal, parce qu'on ne s'y attend pas. Une épine s'est plantée sous l'ongle de mon doigt du milieu qui, à mon avis, est celui qui fait le plus mal, mais je ne peux pas recommencer à pleurer : je perds du temps. Il faut que j'avance. Il me semble avoir déjà touché ce mur, je le reconnais aux grumeaux de peinture, je crois que je suis en train de tourner en rond dans mon quartier, et depuis un bon moment. Au bout de la rue, j'entends une voiture qui fait le même bruit que celle de maman. Elle approche. Je me baisse pour ne pas me faire voir, même si je ne sais pas s'il y a quelque chose devant moi qui peut me cacher. J'enfouis ma tête entre mes bras. La voiture passe et ne s'arrête pas. Je me remets à marcher. À ma gauche, une porte avec une sonnette s'ouvre et j'entends des voix d'hommes et de femmes qui se disent bonsoir et *ting!* des bruits de verres et de tasses qui s'entrechoquent. Je continue d'avancer en faisant semblant d'être calme et sûre de moi, même si j'ai confondu des rues et des routes, et que je ne sais plus où aller. Au bout de beaucoup, beaucoup de pas, la voix d'une dame ni vieille ni jeune me demande quelque chose. Moi, je suis plongée dans mes pensées et je ne l'écoute pas.

– Attends un peu ! Où vas-tu toute seule ?

J'essaie de regarder la dame en face, sinon elle va comprendre que je suis dans le noir et elle me ramènera directement à mes parents.

– Je rentre à la maison.

– À cette heure ? Toute seule ? Quel âge as-tu ?

– Pourquoi ? Quelle heure est-il ?

– Six heures. C'est la tombée de la nuit.

Oh, non! Ça fait presque deux heures que je suis dans la rue, et je ne m'en étais pas rendu compte. Je n'aurai pas le temps de prendre la couverture de grand-mère dans les toilettes du vestiaire. Il faut déjà que j'arrive à entrer dans la cour de l'école. Bon, le plus important, maintenant, c'est d'aller voir Estella. Je m'occuperai de la couverture plus tard.

– Où habites-tu?

Je voudrais lui demander de me laisser tranquille, lui répondre qu'elle est une inconnue et que je ne donne pas mon adresse aux inconnus, mais je me dis qu'elle pourrait m'aider.

– J'habite près du magasin qui imprime des tee-shirts, mais ce n'est pas chez moi. C'est chez ma tante. Moi, je viens d'un autre village. Vous pourriez m'aider à aller jusque-là? Je crois que je me suis perdue, et ma tante va se fâcher si j'arrive en retard.

La dame n'est pas convaincue.

– Et qui est-ce, cette tante? Peut-être que je la connais.

– Elle s'appelle Cristina. C'est elle qui tient le magasin où on imprime les tee-shirts. Vous pouvez m'aider à aller jusque là-bas? Ma tante va se fâcher si…

– Si tu arrives en retard, d'accord, j'ai compris. Allons-y, c'est juste au coin. Tu y étais presque.

La dame me prend par la main et j'ai un peu peur qu'elle me raconte n'importe quoi et qu'elle m'enlève, mais au bout de quelques pas, elle me dit qu'on est arrivées et elle me lâche la main.

– Le voilà, ton magasin. Traverse bien dans le passage pour piétons, compris ?

J'entends les voitures qui passent à toute vitesse, puis un *dring dring dring !* que je connais bien.

– Filippo !

La dame me demande :

– C'est ton cousin ?

Je lui réponds oui. Je suis contente parce que comme ça, on dirait vraiment que ma tante habite là, et la dame va pouvoir s'en aller.

La voix de Filippo, de l'autre côté de la route.

– Ciao, Mafalda !

Il doit revenir de sa leçon de piano.

La dame me dit au revoir et je descends du trottoir, je suis tellement contente d'être arrivée en bas de chez Filippo que j'oublie d'écouter les bruits et l'air qui se déplace, j'entends seulement sa voix qui crie : « Mafalda ! Stop ! », puis un klaxon et le bruit d'un choc comme celui d'un carton de déménagement qui tombe en éparpillant autour de lui les choses qui étaient à l'intérieur.

Pendant un moment, tout est silencieux. Les voitures ne passent plus, les gens sur le trottoir ne parlent plus. Le monde s'est peut-être arrêté. Je me suis arrêtée moi aussi, un pied sur la chaussée, l'autre sur le trottoir, la jambe pliée en arrière, mon cahier serré dans une main. Je n'entends même pas mon cœur battre sous la petite étoile blanche.

La voix de la dame et des gens et d'autres gens

encore dans la rue et dans les voitures et, plus haut, sur les balcons, je crois, et aux fenêtres, les bruits autour de moi de pas très rapides, d'air qui se déplace, tous et tout qui se mélangent complètement, je laisse tomber mon cahier, je me bouche les oreilles pour ne plus entendre Filippo qui hurle : « Mafalda ! Mafalda ! », et je cours, je cours loin de tout ça, je me cogne contre une grosse boîte puante, une poubelle, et je tombe les mains ouvertes sur le trottoir, mais personne ne fait attention à moi, alors je me relève et je marche le plus vite possible en touchant les murs d'une main et, après je ne sais pas combien de temps dans mon nez et dans ma bouche pleins de larmes entre le parfum des bonbons à la rhubarbe de grand-mère et sous mes pieds, il y a les pavés de la rue de l'école. Alors je cours vers la grille, dans le silence absolu, elle est ouverte, j'entre, je serre dans mes bras le tronc frais du cerisier et, sans lunettes, sans loupe, sans lune ni étoile Polaire, sans Ottimo Turcaret, sans Estella, sans Filippo, je grimpe, je grimpe et, à la fin, je suis en haut.

Noir.

Dans la nuit de mes yeux, tout est gris foncé et silencieux comme un nuage plein de pluie. Les monstres qui veulent m'attraper par les pieds m'attendent sous le cerisier. J'ai peur de tomber, mais je suis si fatiguée, vraiment très, très fatiguée.

Je m'appuie contre la branche sur laquelle je suis

assise, je pose ma joue mouillée contre elle et la branche aussi est mouillée, je la tiens très serrée, me voilà, grand-mère, je suis arrivée, c'est moi, Mafalda, et je m'endors en respirant les fleurs en petites perles et les cheveux verts du géant.

Tu as vu, Cosimo? J'y suis arrivée, à la fin.

Tu sais, j'étais sûre que je te trouverais ici avec grand-mère et le géant. Toc, toc, je frappe sur la branche, mais personne ne vient me tenir compagnie. J'aurais dû m'y attendre, toi aussi, tu étais tout seul dans tes arbres. Finalement, ce n'était peut-être pas si agréable d'y vivre? Alors, pourquoi est-ce que tu l'as fait? Et pourquoi je l'ai fait, moi aussi? Les branches sont dures, pas confortables, il fait froid et j'ai laissé tout ce qui devait me servir au vestiaire.

Estella me dit toujours de penser à quelque chose de beau quand je suis triste. Je me concentre et je l'imagine aussitôt, elle, Estella et, à force d'essayer de penser, je finis par faire une petite sieste avec rêve…

23

Être forte comme une Amazone

– Mafalda.

– …

– Mafalda, réveille-toi !

La voix, en dessous, et une douleur à la joue me font ouvrir les yeux. Tout est encore gris et il fait froid. Je me redresse sur ma branche, j'appuie mon dos contre le tronc du cerisier, je remonte mes jambes et les serre contre ma poitrine. Mais le noir est si noir autour de moi que je perds l'équilibre, que je ne sais pas à quoi me raccrocher et que je tombe presque. Des larmes coulent doucement sur ma joue. Je les essuie avec ma manche. Je pense à Filippo.

– Mon Dieu, mais tu ne me regardes même pas.

Estella.

Je sais que c'est impossible, pourtant j'ai l'impression

de la voir, maigre, avec sa blouse, son rouge à lèvres fuchsia, ses mains sur les hanches, comme Filippo, et ses yeux noirs peints en noir.

– Tu ne me dis pas bonjour, non plus ?

– Excuse-moi. Je croyais que tu étais à l'hôpital. Je venais te voir.

Elle fait quelques pas vers le tronc et s'y appuie. Je sens la vibration à travers l'écorce jusque là-haut.

– Tout ce que tu as réussi à faire, c'est à inquiéter tes parents. Ils t'ont cherchée tout l'après-midi. Heureusement que je t'ai retrouvée.

– Oui, heureusement.

On garde le silence un petit moment. On entend une cigale sur les branches au-dessus de moi. J'adore les cigales. Elles, oui, elles savent descendre des cerisiers et de tous les endroits en hauteur.

Le nez en l'air, je demande à Estella :

– Estella, tu sais pourquoi les chats ne savent pas descendre des cerisiers ?

Sa voix à elle aussi regarde en l'air, vers moi.

– Des cerisiers ?

– Oui, des cerisiers. Tu sais pourquoi ?

Estella soupire.

– Toi, quand tu poses une question…

– Alors, tu sais ?

Un sourire apparaît dans sa voix.

– Bien sûr que je le sais.

– Et pourquoi ? Pourquoi ils n'y arrivent pas ?

– Parce que ce n'est pas dans leur nature. Ils ont

des griffes pour monter et ils sont attirés par les choses qu'ils peuvent trouver dans les arbres.

– Comme les cerises, par exemple ?

– Comme les cerises ou les oiseaux.

– Ils essaient peut-être d'attraper un papillon.

– Peut-être.

– Et puis ils ne savent plus descendre.

– Exactement.

– Mais pourquoi est-ce qu'ils ne sautent pas ? Les chats font de très grands sauts, vraiment énormes, gigantesques.

– Écoute, Mafalda, je vais te dire la vérité, les chats ne savent pas descendre des cerisiers parce qu'ils ont peur.

Je me penche un peu vers elle et je laisse pendre mes jambes dans le noir.

– Peur de quoi ?

– Ben, de tomber et de se tuer.

– C'est-à-dire de mourir ?

– Oui.

De nouveau, un silence. Je lève les mains en restant accrochée à la branche avec mes jambes et je touche les feuilles, puis les fleurs toutes douces de mon arbre. Certaines se détachent, me tombent sur le nez, d'autres me caressent les bras, puis tombent par terre avec un son très léger. Doucement, je demande à Estella si elle aussi, elle a peur de mourir.

Elle grimpe sur le cerisier, le secouant de haut en bas. Elle s'arrête à côté de ma branche.

– Bien sûr que j'ai peur. Et toi aussi, tu as peur, pas vrai, Mafalda ?

Je joue avec une fleur de soie qui est tombée sur ma main.

– Oui. Du noir.

– Tu es pourtant dans le noir, maintenant, non ? Et tu n'as pas l'air trop effrayée. Tu es montée dans le cerisier.

Je la regarde dans le gris. Son visage est si près du mien que je peux presque le voir, j'en suis sûre, presque.

– Comment tu sais que je suis dans le noir ?

– Eh bien, j'ai le troisième œil, comme toi.

– Tu le diras à mes parents ?

– Ils s'en apercevront tout seuls. Eux aussi, ils ont le troisième œil, tu sais ? Tous les parents l'ont.

Je serre de nouveau mes jambes contre ma poitrine.

– Très bien. De toute façon, moi, je ne descends plus d'ici.

Estella donne deux petits coups contre le tronc.

– Ça me paraît être une bonne idée. Il y a des fleurs, le géant, ta grand-mère… Tu as déjà essayé de lui parler ?

– Oui, mais…

– Elle ne t'a pas répondu, c'est ça ?

– Non, mais c'est la nuit. Elle doit dormir.

– C'est presque le matin, Mafalda.

Je tourne la tête de l'autre côté pour ne pas lui montrer mes larmes.

213

Estella s'assied sur une branche un peu plus basse que la mienne.

— Tu sais, Mafalda, qu'il y a eu un chat qui savait descendre des cerisiers ? Il y a très longtemps, quand les Égyptiens construisaient les pyramides, les chats étaient vénérés comme des divinités, et un scribe qui était au service du pharaon a décidé d'apprendre à son chat à descendre des cerisiers, parce qu'il savait que c'était particulièrement difficile pour un chat et qu'il voulait faire une surprise à son roi.

— De quelle couleur était le chat ?

— Il était gris et marron.

— Comme Ottimo Turcaret !

— Oui, comme ton chat grassouillet.

— Il y avait des cerisiers, en Égypte ?

— Bien sûr. Les cerisiers les plus hauts et les plus beaux qu'on ait jamais vus. Mais il n'y en a plus, maintenant, tu sais, ils les ont coupés.

— Pourquoi ?

— Pour faire de la place aux pyramides.

— Ah.

— Donc, je te disais que cet homme, le scribe, a appris au chat à descendre des cerisiers en suivant une méthode très efficace : il le mettait dans l'arbre et il le laissait là.

— Comment ça, il le laissait là ? Dans le cerisier ?

— Oui. Une fois, il l'a laissé dans le dernier cerisier qui existait encore. La pyramide était presque finie et le cerisier se trouvait exactement là où on devait construire la marche la plus basse, tu imagines ?

— Oui. Et qu'est-ce qu'ils ont fait du chat ? Ils n'ont quand même pas abattu le cerisier avec le chat dedans ?

— C'était leur intention, en tout cas. Mais comme l'arbre était le plus beau de toute l'Égypte, au dernier moment, ils ont décidé de ne pas l'abattre et de construire la pyramide par-dessus, tout autour. Et tant pis pour le chat s'il ne voulait pas descendre.

— Ce n'est pas vrai.

Estella se met à rire.

— Mais le chat s'en est sorti, tu sais ?

— Forcément, sinon il aurait été emprisonné pour toujours dans la pyramide !

— Et il serait mort.

— Parce qu'il n'avait pas à manger ni à boire ?

— Oui, pas d'air ni de lumière non plus. Les chats détestent l'obscurité, tu savais ça ?

— Oui, et ils ont des yeux à infrarouge pour voir la nuit. Quelle chance !

— C'est vrai, mais le chat du scribe avait peur de rester enfermé, même s'il avait des yeux à infrarouge. Il miaulait, désespéré, le pauvre, tandis que les esclaves jetaient les gros blocs de pierre autour du cerisier. Son maître ne voulait pas l'aider à descendre. Tout le monde autour du scribe le suppliait de sauver le chat avant qu'il ne soit trop tard, mais il répondait qu'un chat digne d'un pharaon savait descendre des cerisiers.

– C'était plutôt méchant !

– Plutôt, oui. Mais au moment où les esclaves, épuisés, allaient déposer le dernier bloc de pierre, le chat a retiré ses griffes de l'écorce à laquelle il était accroché, il est descendu de l'arbre en deux ou trois sauts, et il a sauvé sa peau.

– Le pharaon a été content de ce chat spécial ?

– Si content qu'il lui a fait don de la vie éternelle.

– Oh, waouh ! Alors ça veut dire que ce chat est toujours là quelque part ?

– Il semblerait que oui.

Je me tais, mais je souris en moi-même.

– Ce chat voulait vraiment apprendre à descendre des cerisiers, c'est sûr !

– On ne vit pas quand on a peur, Mafalda.

J'ai un grand sourire et les yeux qui me piquent. On ne vit pas quand on a peur, on ne vit pas quand on a peur… Je ne suis pas sûre de comprendre l'histoire du chat et du scribe, mais elle est belle et elle me fait mal, comme la musique de Filippo.

Je me tourne vers Estella, qui commence à descendre du cerisier.

– Où tu vas ?

– Il faut que tu réfléchisses à cette question, Mafalda : quel est ton essentiel ?

Elle saute et me regarde d'en bas.

– Mon essentiel, c'est de rester ici.

– Tu en es sûre ?

– Oui. C'est la dernière chose de ma liste.

– De la vieille ou de la nouvelle ?

– Quelle nouvelle ?

– La vieille, avec un nouveau nom. Montre-moi !

Mes doigts bougent dans ma poche et font crisser une feuille de papier roulée en boule, comme le mot qu'on devait faire signer, Filippo et moi. Je la sors, je ne vois pas ce qui est écrit, mais je sais que c'est la liste. La liste de Mafalda. « Les choses auxquelles je tiens énormément et que je ne pourrai plus faire ».

Estella me parle fort et ce n'est pas un rêve. Estella a toujours été franche avec moi.

– Tu vois ? Il suffit de changer le titre : « Choses auxquelles je tiens énormément ». Tu es dans le ceri-sier, Mafalda. Tu y es montée dans le noir, non ?

Je reste de nouveau silencieuse, ma feuille de papier à la main.

– Si le chat du scribe n'avait pas compris son essen-tiel, il serait raide mort, maintenant.

Je m'agrippe toujours à la branche des deux mains, mais une voix en moi me dit quelque chose : *Je suis dans le noir, Estella, tu le sais. J'ai peur.*

– On ne vit pas quand on a peur, Mafalda. Allons, je t'ai appris à descendre. Mets un pied là…

D'accord. J'obéis.

– Comme ça ?

– Oui, comme ça. Et saute, maintenant !

– Tu me rattraperas ?

Je suis suspendue à une branche, le pied dans un trou du tronc et une jambe dans le vide. Je ne sais pas à quelle hauteur est la branche. Le gris autour de moi devient un peu plus clair et je comprends que c'est le matin. J'ai mal aux bras, aux mains aussi, aux genoux, parce que je me suis étalée sur le trottoir, hier. Je voudrais me laisser tomber, mais j'ai peur. Je pense à Cosimo qui n'est jamais descendu des arbres de toute sa vie et je regrette un peu. Moi, je n'ai résisté qu'une seule nuit, ou une demi-nuit.

– Estella, aide-moi !

Estella ne répond pas, mais j'entends sa voix dans mes oreilles qui me dit que je dois me débrouiller toute seule. Je ne serais pas moins courageuse qu'un gros chat, quand même ?

Je ferme les yeux. L'obscurité est noire, sans lune ni étoile Polaire. Je suis fatiguée. C'est plus facile si je lâche prise et si je tombe sur la tête, comme ça, j'irai à l'hôpital et on me mettra peut-être dans une chambre avec Estella. Mais cette idée me fait encore plus peur. Estella et Filippo sont mon essentiel. Je ne peux pas me rendre.

Je me répète : « Ne jamais, jamais se rendre. »

J'ouvre les yeux, j'enlève mon pied du trou de l'écorce, je suis suspendue dans le noir. J'ai l'impression que le cerisier bouge sous mes doigts, comme s'il se secouait un peu. Je glisse.

Alors je lâche prise et je saute.

24

Choses auxquelles
je tiens énormément

Je n'en finis pas de tomber.

L'air est frais et noir sur mes joues.

Ce n'est pas désagréable de tomber. Je sens un coup au cœur et dans l'estomac, comme quand j'allais sur les montagnes russes et que j'aimais ça, même si ça faisait peur. Je me rappelle une photo de maman, papa, grand-mère et moi sur les montagnes russes pour les petits. Grand-mère et moi, on avait les cheveux dressés sur la tête et les bras levés, la bouche grande ouverte avec toutes nos dents (elle, un dentier tout blanc). Grand-mère voulait toujours lever les bras sur les manèges. Je me souviens de ses cris, qui n'étaient pas de peur, et le flash aussi de son appareil photo. Un éclair blanc.

Pendant que je tombe, je me vois soudain du dehors, comme si une autre Mafalda tombait tout droit devant moi en me regardant en face et n'avait pas les yeux obscurs. Tandis qu'on descend à toute vitesse ensemble, elle me dit que mes couettes remontent en l'air, que mes bras qui avaient tenu la branche sont toujours levés, que mes vêtements sont gonflés par le vent. Je suis comique.

– Ouvre les yeux, me dit-elle, c'est amusant !

J'ouvre les yeux : il y a de la lumière partout, les monstres sont des dessins animés qui battent des pattes en même temps que grand-mère, Ravina, Estella, Filippo, Ottimo Turcaret. Cosimo et Viola sont là. Ils applaudissent ma chute, ils apparaissent clairement, nettement et, tous ensemble, ils ressemblent à des artistes de cirque. La petite fille qui tombe devant moi rit en montrant le ciel, et moi, juste avant de toucher terre, je lève les yeux et j'arrive à compter toutes les étoiles de l'univers.

Il ne manque plus qu'un centimètre, je le sais, je le sens. La fille qui tombe avec moi me fait ciao de la main et part comme une fusée vers le ciel, accrochée à une grappe de ballons rouges qu'elle a trouvés je ne sais où, elle vole plus haut que la cime de l'arbre, plus haut que le toit de l'école, et maintenant, elle est dans la nuit et joue au football avec une étoile comme ballon. Grand-mère garde le but entre la lune et l'étoile Polaire.

Mes chaussures de gymnastique touchent le sol de la cour bien avant que je m'y attende, mes chevilles tombent dessus, mes genoux arrivent juste après, suivis de mon derrière, de mon dos, de mes épaules, de mes cheveux. Je me retrouve les mains par terre, tassée comme un sac vide, j'ai mal aux pieds, mais je suis entière.

Il fait toujours noir. Je me lève dans ce noir et je veux appeler le nom de quelqu'un, mais je ne m'en souviens plus, je ne me rappelle que le mien.

– Mafalda !

La voix de papa arrive en courant, de loin. C'est une voix pleine de respirations rapides et peut-être de larmes aussi, mais j'en serai sûre seulement quand j'en sentirai l'odeur.

Papa ouvre la grille de l'école en la faisant claquer avec un grand bruit de fer et il court, il se jette sur moi, à genoux, il me serre très fort contre lui.

– Promets-moi que tu ne t'enfuiras plus jamais. Promets-le-moi, dit-il, le nez enfoui dans mes cheveux.

– D'accord.

Il bouge un peu et je sens son visage devant le mien. Ses larmes sentent bon la camomille et la fumée de cheminée. Il me tient par les épaules. Estella aussi le faisait.

– Comment tu m'as retrouvée ?

– Tu vas bien ? Tu es entière ? Je t'ai vue tomber de l'arbre.

– Je ne suis pas tombée, je suis descendue. Comment tu m'as retrouvée ?

– Nous avons suivi tes traces. Les voisins t'ont vue sortir derrière l'immeuble…

– Ceux qui sont antipathiques ?

– Oui. Ils ne sont pas si mal. Ils sont simplement timides. Ils nous ont aidés à te chercher.

– Et après ?

– Il vaut peut-être mieux que je te raconte ça à la maison. Il fait froid. Tu sais quelle heure il est ? (Il se tait et je sais qu'il sourit, je l'entends dans sa voix.) C'est le moment de la journée que grand-mère préférait *en absolu*.

Il m'arrive alors quelque chose d'étrange, parce que je sais de quoi il parle. J'ai l'impression qu'un soleil se lève derrière mes yeux et qu'il réchauffe tout mon visage.

– Papa, le prénom de grand-mère, c'était Alba, non ?

Il me caresse les cheveux.

– Oui, Mafalda, Alba, comme l'aube. Rentrons à la maison !

– On va compter combien il y a de pas entre le cerisier et son parfum, d'accord ?

Maman fait tinter les clés du nouvel appartement et Ottimo Turcaret se glisse dehors juste avant qu'elle ferme la porte.

– Ça ne marche pas, maman, moi, le parfum du

cerisier, je le sens dès que j'ouvre la fenêtre de ma chambre !

On traverse l'allée pleine de myosotis et on est derrière le coin de l'école, du côté du jardin biologique. J'entends le bond feutré d'Ottimo Turcaret qui se faufile dans le jardin pour y faire ses besoins et ça me donne envie de rire.

– Tu as raison, ça ne marche pas. Je t'accompagne à l'intérieur.

Un courant d'air tiède me caresse les joues, puis j'entends le sifflement secret, qui n'est pas si secret. Je me tourne vers maman.

– J'ai compris. Tu veux y aller toute seule. D'accord, je t'attendrai à la sortie, dit-elle.

Elle me donne un baiser et s'éloigne un peu. Je sais qu'elle me regarde en cachette et qu'elle pense que je ne m'en aperçois pas. Je pose un pied sur la première marche de l'escalier. Des pas très rapides descendent me rejoindre et j'ai l'impression de voir la personne qui s'est arrêtée devant moi : dos droit, jambes écartées, mains sur les hanches.

– Allons, donne-moi la main ! On rentre !

On monte les marches et il me dit que je suis lente comme une chanson ennuyeuse. Je pense à notre groupe de musique qui, pour l'instant est seulement un duo.

– On répète, aujourd'hui ?

– Oui, à trois heures.

– Qu'est-ce qu'on chante ? *Iello seubmarii* ?

– Non, une nouvelle chanson.

– D'accord. Je vais la mettre dans la liste.

– Quelle liste ?

– Une nouvelle. « Choses auxquelles je tiens énormément ».

– Tu l'as sur toi ?

– Oui.

– Montre !

Je sors de la poche de mon tablier une feuille de papier pliée en quatre et je la donne à Filippo.

– Oh, là, là, comment tu écris ! On n'y comprend rien.

Sa voix a une odeur de lait et de menthe. Elle sent bon. Avec un peu de mal, il lit ma nouvelle liste.

Choses auxquelles je tiens énormément

La musique. Ottimo Turcaret. Les histoires.
Skier et faire de la luge derrière papa ou Filippo.
Faire du vélo derrière Filippo. Deviner l'heure en sentant le soleil sur mon visage. Avoir un meilleur ami.
Les fleurs et leur parfum.
Voyager dans un endroit différent chaque année.
Grimper aux cerisiers. Et descendre.
Ne pas être seule. Aimer quelqu'un.
Être forte comme une Amazone.
Écrire au moins un livre…

Il s'arrête.

– Super ! Mais, à la récré, je vais te la réécrire mieux que ça.

Je suis contente. Je suis si contente que j'oublie de me retourner pour faire signe à maman, qui est toujours à la grille de l'école, contente elle aussi, parce qu'elle sait que mon essentiel, c'est de trouver au moins un vrai ami et, quand ta fille de dix ans trouve un vrai ami dans le noir, eh bien, je crois que tu dois être bien contente.

– Tu m'aideras aussi à écrire le livre ?

Filippo remet ma liste dans ma poche et me prend la main. La sonnerie retentit, on doit entrer en classe.

– OK. Tu sais déjà comment ça commence ?

Je souris.

– Oui. Ça commence comme ça : « Tous les enfants ont peur du noir… »

25

Épilogue

Chère Mafalda,

Il y a quelque temps, je t'ai dit qu'une amie mal élevée m'avait pris un petit bout, tu te rappelles ? Mais Estella ne dit pas de mensonges, seulement la vérité, et il faut que tu saches que ce n'était pas une amie, mais une maladie très pénible, que cette maladie est revenue et qu'elle essaie de me prendre encore un bout, ou peut-être de me prendre tout entière. C'est pour ça que je suis à l'hôpital et que je n'ai pas pu faire notre sifflement secret.

Je suis sûre presque à cent pour cent que, quand tu liras cette lettre, je serai déjà allée habiter avec ta grand-mère et ton géant dans le tronc du cerisier, et qu'on s'amusera bien tous ensemble. Tu peux venir nous voir quand tu veux, tu n'as qu'à grimper à l'arbre et à mettre les pieds là où je te l'ai dit quand nous nous sommes connues il y a quelques années. Ce jour-là, nous avons aussi parlé de nos listes et je t'ai montré la mienne. Mais, avec le temps, j'y ai repensé et j'en ai commencé une nouvelle, avec les choses qui étaient essentielles pour moi mais que je pouvais faire aussi sans un sein. C'est toi qui m'en as donné l'idée en ayant commencé à marquer tout ce que tu pouvais faire même sans les yeux, ce qui est encore beaucoup plus difficile, à mon avis. J'espère que tu as trouvé un tas de choses à mettre dans ta liste parce que tu es une vraie Amazone, une petite princesse perchée et la fille secrète de Cherlocolme. Moi, j'en ai une seule : trouver une vraie amie. Et c'est aussi mon essentiel.

On se verra dans le cerisier, Mafalda et, en attendant, amuse-toi bien, vraiment bien ! Comme si c'était toujours la fête d'anniversaire de tes dix ans.

Ton Estella de Transylvanie,
reine de toutes les Amazones

Remerciements

Nous y voici.

Le premier *merci* est pour maman, papa, Roberta, Alessandra, Giuliano, Pietro, Matilde, oncle Silvio, tante Alba et Ada : il faut être suffisamment fou et très famille pour croire en quelqu'un à ce point.

Je remercie mon compagnon, Simone, d'avoir vraiment aimé mon livre, avec ses imperfections. Et moi, avec mes imperfections. Et mon jardin, ma cuisine, idem. Parce que tu t'inquiètes quand je tombe, et qu'ensuite, tu ris. Parce que tu as des pensées qui font de jolis bruits.

Merci à mes dix oncles et tantes, à mes onze cousins, à leurs compagnes, compagnons et à leurs enfants, de m'avoir appris qu'on peut surmonter le pire et en rire. Et comment !

Merci aux enseignants qui m'ont armée d'un stylo et de la langue italienne, et qui m'ont encouragée à les garder bien serrés contre moi : Rosa, Anna, Maria-rosa, Ester, Manuela, Paola, Provvidenza, Loretta, Mario, Francesco, Guido, Adriana.

Merci à Anna Paola, Margherita, Sara, Angela, Giulia, Daniele, Beatrice, Fabiola, Vanessa, Alessandro et Federica, Veronica et Luigi, Francesca, Barbara, Miriam, Matteo, Martina. Il n'est pas facile de rester proche d'un ami dans le bien et dans le mal. Vous, vous êtes assez forts pour ça.

Merci à mes collègues, devenus amis, Paolo, Maria, Caterina, Rubby, Gioele, Andrea. Tous des grands. Et merci aux garçons et aux filles de toutes les nationalités dont je me suis occupée avec eux et qui sont toujours une source précieuse d'histoires et d'affection sans condition. Quand j'écris, vous êtes toujours avec moi.

Merci aux compagnons de peur et d'ivresse de l'école Palomar de Rovigo : Stella, Andrea, Arianna, Edoardo, Anna, Stefano, Francesco, Enrico, Igor, Germano, Giulio, Evita. De vrais amis et de vrais écrivains, les parents – en chair et en os – de Mafalda.

Un remerciement très spécial à l'écrivain qui a fondé l'école Palomar, Mattia Signorini. Tu as trouvé Mafalda et tu l'as comprise avant tout le monde. Merci à la grande dame, Giulia Belloni Peressuti : « Si tu t'étais conduite d'une autre façon, je l'aurais mal pris. »

Merci à Chiara de m'avoir donné le *la*. Une note qui a changé ma vie.

Je remercie Martino, Aneliya et Sadhbh pour la patience dont ils ont fait preuve en essayant de m'apprendre un peu d'anglais.

Je remercie chaleureusement Vicki Satlow, spécialiste des contre-feux, et son équipe, Giulia Iovino et Martina Moretti, en particulier : sans vous, rien de tout cela n'aurait été possible.

Tout aussi chaleureusement, je remercie la merveilleuse marmite Rizzoli, avec tous ses ingrédients magiques, notamment Michele Rossi, Benedetta Bolis, qui ont vu de la beauté dans l'imperfection de Mafalda, Cristina Francheschi pour l'organisation des voyages, Francesca Leoneschi pour la partie graphique, Giulia Magi pour son énorme contribution à la promotion. Merci à tous ceux – éditeurs, réalisateur de vidéo – qui ont aimé mon histoire et qui ont travaillé avec passion pour la partager le mieux possible.

Merci à mes photographes de confiance, Caterina et Mirko.

Je remercie ceux qui ont cru en une fille anonyme de la province italienne. Marianne Gunn O'Connor, Jane Harris, Emma Matthewson, Ruth Logan, Tina Mories, tous ceux de chez Bonnier Zaffre et les grands professionnels des pays qui ont immédiatement aimé ce roman.

Merci à une traductrice sensible et attentive, mon amie Denise Muir, et à l'illustratrice Carolina Rabei pour l'intelligence et l'intensité de ses illustrations.

Merci à ceux qui, dans le passé, m'ont donné la

possibilité de travailler, qui m'ont emmenée à Rovigo et dans bien d'autres endroits, sont allés là-bas avec moi ou sont venus me rechercher, à ceux qui ont été gentils et à ceux qui ne l'ont pas été, ou qui n'ont pas eu la force de se tenir à mes côtés : vous m'avez tous rendue plus forte.

Merci à Llenia, qui m'a appris à m'aimer de nouveau. C'est pour cela que le dernier remerciement, je me l'adresse à moi-même et à toutes les femmes qui ne se rendent pas. À la fin, c'est nous qui gagnerons, toujours.

Table

Paola Peretti

L'auteure

Italienne, **Paola Peretti** est née en 1986 dans la province de Vérone, où elle vit toujours. Elle est diplômée en édition et en journalisme et travaille comme enseignante tout en écrivant des articles pour le journal local. Elle vit avec une maladie génétique rare qui provoque une perte progressive de la vision. Il n'existe pas de remède connu à ce jour. Elle parle de sa maladie à travers l'histoire de Mafalda. *Du haut de mon cerisier* est son premier roman. À peine envoyé, il suscite l'intérêt d'une prestigieuse agence littéraire américaine, et ce futur classique est bientôt publié dans le monde entier.

Découvrez les livres préférés
de **Mafalda**

———————

dans la collection

**FOLIO⋆
JUNIOR**

LE BARON PERCHÉ
———————
Italo Calvino
n° 1693

Italie, 1767. Refusant de manger un plat d'escargots, Cosimo, douze ans, se réfugie dans le grand chêne du domaine familial. Personne ne le fera plus redescendre… Il passe sa vie dans les arbres, libre et heureux, se moquant d'en haut des petitesse d'ici-bas. Un jour, pourtant, il tombe amoureux de Viola. Saura-t-elle lui remettre les pieds sur terre ?
Ode à la nature et à la liberté, le chef-d'œuvre d'un des grands écrivains du XXe siècle.

LE PETIT PRINCE
Antoine de Saint-Exupéry
n° 100

«Le premier soir je me suis donc endormi sur le sable à mille milles de toute terre habitée. J'étais bien plus isolé qu'un naufragé sur un radeau au milieu de l'océan. Alors vous imaginez ma surprise, au lever du jour, quand une drôle de petite voix m'a réveillé. Elle disait : "S'il vous plaît… dessine-moi un mouton !" J'ai bien regardé. Et j'ai vu un petit bonhomme tout à fait extraordinaire qui me considérait gravement… »

Mise en pages : Maryline Gatepaille

Loi n° 49-956 du 16 juillet 1949
sur les publications destinées à la jeunesse
ISBN : 978-2-07-515824-4
Numéro d'édition : 379627
Dépôt légal : juin 2021

Imprimé en Espagne par Novoprint (Barcelone)